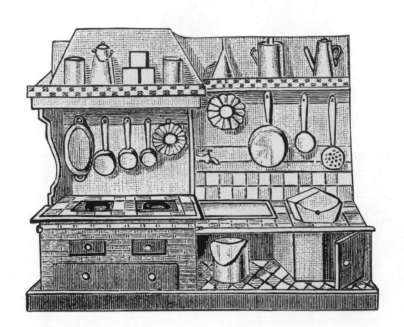

Luigi Lepri

Recipes from Bologna

**The traditional food from
the Capital of Italian cuisine**
70 classic and popular dishes

With original Bolognese texts

 Pendragon

Recipes from Bologna
The traditional food from the Capital of Italian cuisine
70 classic and popular dishes

Introduction by Davide Paolini

Translation by Matthew De La Cruz

Tutti i diritti riservati/All rights reserved
© 2015, Edizioni Pendragon
via Borgonuovo 21/a- 40125 Bologna
www.pendragon.it

Introduction

First of all, I would like to beg their pardon from the Bolognese and their splendid dialect, as I did from the author of this recipe book, because I am from Romagna (the other cultural and linguistic half of Emilia-Romagna). I do so because I have a soft spot -and not a small one- for this lovely book.

Perhaps I can claim that my Sunday column (*A me mi piace*) and radio show on Radio 24, *Il Gastronauta*, have made a grand campaign for traditional cooking. I think that from my own contributions came the desire to present Luigi Lepri's work.

I would like to recall the highest praise given by Pellegrino Artusi, who wrote, "When you hear people speaking about Bolognese cuisine, be reverent, because it deserves it."

But, I would argue: my reverence is reserved for homemade food or the so-called popular food of the Bolognese, but not for the food industry.

The collective fantasy is that in the "learned and fat" city, one eats very well... it's true, but, I re-emphasize, at the family table where the housewives reign. If there was a national rankings list, the first prize would go to food from Emilia, but that never had anything to do with the food industry. One reason why? The Bolognese are used to their grandmothers, mothers and wives, who are so demanding and grouchy the minute they enter a restaurant, and who always bring comparisons with their tortellini, cotoletta, bollito etc. with them like baggage. And that's why I read through the pages of this handbook to the true, working class, gastronomic tradition with pleasure, rediscovering some pearls that remind me of Bologna: from cotoletta, to friggione, to bollito, to torta di riso- which, I must admit, I have often found excellent examples of from certain bakeries.

Above all, I applaud the idea to write these recipes how mothers or grandmothers described them- that is, in dialect. Each had its own feeling and its own tone separate from all the others. In the original language, for many people, these recipes can bring out joy, and also sadness for those who aren't here anymore. From my experience with radio, I know that recipes from our childhood make up a part of each of our hearts, and reliving them in some way can give us goosebumps.

I completely agree with Lepri when he writes that the foundation of Bolognese cuisine hinges on butter, pancetta, and lard. Why deny this cuisine's historical foundation in pork?

In the last few years, the era of extra virgin olive oil has been pushed forward by dietologists and doctors, but the truth is that in past years, olive oil was often pathetic, rancid and full of defects. Butter, lard and pancetta gave better flavor. Plus, it's not right to substitute the original ingredients from one place's tradition with those from another.

Many of these recipes have to contain butter and pig products because that's how they were born, and that's how they're best. A recipe book has to respect the past; otherwise, it would be improper to write in Bolognese in the first place.

Davide Paolini

Author's Note

New Year's, The Epiphany, Carnival, St. Joseph's Feast Day (19 March), Easter, Easter Monday, Ferragosto, St. Martin's Feast Day (11 November), Christmas, Christmas Eve, and every ten years, *i Adûb* or l Adôb (the decennial anniversary of the parish). In these holidays and a few other family occasions, the working class Bolognese could proclaim with poorly concealed satisfaction, "Bologna the fat, for those who live here, not for those passing through (*Bulaggna la grâsa, par chi i stà, brî a par chi i pâsa*)."

The anticipation for these kinds of days was filled with lavish culinary propositions, followed by opulent purchases made possible solely thanks to the tiny savings (*asprèmi da furmighénna*) of the housewives (*arżdåura*). A few cents were saved every day, or whenever they could, to eat well (*tafiér al béffi*) at traditional holidays. And those who couldn't? Who, for example, worked irregularly and couldn't manage to save even one miserable coin? The solution: a shopping bag stuffed with paper with two chicken feet sticking out the top, so everyone could see (*ch'i li pséssen vadder tótt*). Evidently, many people contented themselves only with appearances.

In my family, the men would bring home their earnings, and all of them, including the grandfathers, were blue collar workers. The women tried to supplement this meager income with small jobs (*ciapén*) such as needlework. But fundamentally their work, other than taking care of the house, was in the kitchen. The better a woman was in the kitchen (*brèva a fèr da magnèr*), the higher esteem she was held in by her relatives and acquaintances. In this field, Grandma Argia excelled and was conside-

7

red a model to reference and follow. Everyone recognized a great talent (*óssta*), perhaps inherited from her father *Pavlèn* (Paolo Trebbi, my great-grandfather), famous in his time as the best pork butcher (*inftidåur*) in Bologna and the surrounding area. The family would describe how *Pavlén* carefully worked the pigs, butchering them in the countryside or in the city, adding salt and spices by sight. He had no need to weigh the meat or the spices, like everyone else did. The result was always unbeatable; when one said, "This salami is from Pavlén," (*l é un salâm ed Pavlén*), it was like saying nowadays about a car, "This is a Ferrari."

Therefore, his daughter Argia, aware and pleased with her own abilities, patiently taught her recipes to her daughters and daughters-in-law. And all of them were great students and then teachers when their time came.

Until about the fifties, dialect was the main language. Recipes were passed on orally and were only rarely transcribed onto scraps of paper. Even then, dialect was used, a dialect which the experts call "intramurario" (within the city walls).

So, the original idea for this collection: pass on in the most faithful way possible the "homecooked" recipes of my grandmother, my mother and my aunts. I would use their language, the original dialect, not one already contaminated with large doses of "dialectic" Italian. There are expressions, ways of speaking, vocabulary and culinary terms that have fallen into disuse and some that are difficult to remember, but maybe it's worth it to put them here so that they aren't lost forever.

Regarding the merits of the recipes, two observations can be made:

1) It immediately catches one's eye that there is a complete absence of olive oil in favour of butter, lard or pancetta. In light of today's health advice, this might seem like blasphemy. Remember, however, that oil was very expensive and that in the city, it was common to buy a pig (*métter al ninén*) and use its

products for the entire year. There was little else to do: oil for the Tuscans and pigs for the Emilians. Anyways, fatty recipes were alternated with periods of very poor nutrition, so they didn't produce any harm, in spite of triglycerides and cholesterol. And if today you go to the gym to work off the excess, then you work for 10, 12, 14 hours a day... it would do you well to fry up a bit of lard!

2) The recipes refer to a "family kitchen", which is my own. Many people from Bologna and the surrounding area may say differently regarding ingredients, amounts, and how to prepare these dishes, which comes from the traditions of their own families. I think that is completely normal. In fact, it should be considered a virtue; the small variations, the personal touches that differentiate one family's dish from another's, the differing tastes of the guests: they all give testimony to the wealth of the everyday gastronomic culture in Bologna which is never satisfied with the standards.

Should I add a quotation? Sure, I will quote Pellegrino Artusi, "When you hear talk of Bolognese cuisine, be reverent, because it deserves it."

These recipes are my bow, my homage, not only to the Bolognese cuisine, but also to those *arżdåuri* in my family who fed me, surely Bolognese but loved for so much more than that. The palate is full of memories, and mine has been sculpted by years of tastes and fragrances absorbed at the table, thanks to my grandmother, mother, aunts and those names I have placed in here as my devoted and grateful filial homage.

If the reader was to try these recipes, I am convinced that they will not be disappointed. Let me know how it goes, and... buon appetito!

In closing, thank you to the *l'arżdåura* of my life today, my wife Lella, for your help verifying these recipes' culinary quality and for having followed so well the work started by Grandma Argia.

L.L.

Translator's Note

As an American currently living in Bologna, this book was an absolute joy to translate. Some recipes will appear very familiar to anyone who glances through these pages, such as tortellini or ragù bolognese; I can assure you from first hand experience that the results are wonderful, as I have eaten my way through them relentlessly. However, some will certainly push you out of the comfort zone (all of the recipes with liver come to mind). As the author mentioned in the opening note, even using lard instead of olive oil might seem a stretch for some people. My advice is, keep the faith.

Regarding the language, this book was originally published in Bolognese with a side by side Italian translation. This English edition was translated from Italian. While this means that some particularities of the original language may not have been carried over, I have done my best to communicate these recipes effectively in International English, as well as conveying the emotional wealth of the stories that accompany them. I hope you cherish the richness of these recipes as much as I will.

Matthew De La Cruz

The *arżdåuri* (housewives):

Grandma Argia Trebbi in Zurla, born in Bologna 1878
My mother, Maria Zurla in Lepri, born in Bologna 1906
Aunt Maria Caprini in Zurla, born in Bologna 1908
Aunt Ravenna Zurla, born in Bologna 1912

Table of Contents

First Courses

Ragó bulgnaiš
(cónza da mnèstra sótta)

Dôš par quâter-zénc:
un trucadén ed butîr da ónnżer la tajja (méi s'l'é ed teracôta)
un étto ed panzatta o lèrd in sèl, bató int la pistadûra
mèż étto d cûst ed sàrrel
mèż étto ed pistinèga
mèż étto ed zivålla (o pió par chi i pièš)
trî étto ed scanèl o cartèla ed manż, mašnè
dû étto ed lånnża ed ninén, mašnè
pundôr pasè e cunsêrva, secånnd i gósst
un misclòt o dû ed brôd (méi s'l é ed chèren)
un scalfàtt ed vén bianc sacc
sèl, påvver, nûš muschèta secånnd i gósst

Dsfè la panzatta o al lèrd e, pian pianén, fèi sufréżżer i udûr tridè (zivålla, pistinèga e sàrrel) sänza fèri strinèr. Quand i udûr i han ciapè la rôša, ażuntèi la chèren armišdànd spass in prinzéppi. Dåpp pôc, sänpr armišdànd, avî da méttri al vén e quand l é asughè mitî al pundôr. A ste pónt abasè la fiâma al ménnum e lasè andèr sänza pôra dimónndi adèši, šbarluciànd ed quand in quand e armišdànd par môd che la cónza la n s atâca in fånnd al tegâm. S'l'avéss da asughères trôp, ażuntèi ògni tant dal brôd, pôc ala vôlta. Adès avî såul da fèr bójjer pianéssum par zîrca quâtr åur, ajustànd ed sèl, påvver e nûš muschèta s'la v pièš (mo pôca!). Vêrs la fén mitî dla cunsêrva "triplo concentrato", pôc o dimónndi s'av pièš un ragó pió o manc råss.

Cunzè el tajadèl e i strichétt fât con la spójja o i macarón sécc con sta delézzia, sfurmajànd sänza remisiån.

18

Bolognese Sauce

(Ragù bolognese)

Serves 4-5 people:
a slice of butter to grease the pan
100 grams of lard, diced with a mezzaluna knife
50 grams of celery
50 grams of carrots
50 grams of onion (or more, if preferred)
300 grams of ground topside or round steak
200 grams of ground pork
Tomato sauce and tomato paste (triple concentrate), to taste
1 or 2 ladles of broth (preferably meat broth)
1 bottle of dry white wine
salt, pepper and ground nutmeg, to taste

Melt the lard in the pan and, very slowly, fry the onions, celery and carrots, making sure they don't burn. When the vegetables are translucent, add the meat, mixing often to brown it evenly. While continuing to mix, add the wine. Once the wine has evaporated, add the tomato sauce. Lower the flame to the minimum and leave it to cook very slowly, keeping an eye on it and mixing occasionally to keep it from sticking to the pan. If it reduces too much, add a bit of broth. Let it simmer very low for 4 hours, and add salt, pepper and nutmeg to taste. Towards the end, add the tomato paste, more or less depending whether you prefer a ragù more or less red.

Serve this delicious sauce on fresh, egg-based tagliatelle, strichetti (farfalle), or dried maccheroni, and sprinkle generously with grated Parmigiano Reggiano.

Turtlén

Dôṡ dal pén par sî:
un étto e mèż ed lånnża ed ninén
un étto ed parsótt mègher e grâs
un étto ed murtadèla bulgnaiṡa
un tructén ed butîr o anbrålla ed manż
un tårrel
un étto e mèż ed fåurma gratè
sèl, påvver, nûṡ muschèta
spójja (rizèta p. 22)

Ai é chèṡ che chi i ha ciamè "blîguel divén" l avéss pròpi raṡån.

Int na padléṅna, dè un scôt ala lånnża con l'anbrålla. Quand el s én arsurè, mitîli insàmm a parsótt e murtadèla e tridè incôsa (par dåu vôlt se al pén al v pièṡ fén). Ażuntèi al bagnulén ch'ai srà avanzè int la padléṅna, al tårrel, la fåurma, la nûṡ muschèta gratè, påvver e un scróppel ed sèl. Armiṡdè pulîd incôsa col man fén che l inpâst an dvänta mulṡén e unifåurum e lasèl arpuṡèr un pôc.

Tirè col matarèl una spójja sutîla, tajèla a quadrétt, apugè un baluchén ed pén int ògni quadràtt e aṡrèl fagàndel dvintèr cómm un blîguel (s'a n l avî mâi fât, andè a vàdder cum as fà da un'arżdåura bulgnaiṡa). Pió cén i én, méi l é.

Fè bójjer zénc minûd i turtlén in un bån brôd, méi s'al fóss ed capån ch'l èva razè int un'aldamèra. Se pò av vgnéss in mänt ed magnèri sótt o ala pâna, par mé al srêv avair la grâzia divéṅna e bucèrla int al canèl. Mo fè pûr vuèter!

Tortellini

Serves 6 people:
150 grams of pork loin
100 grams of lean prosciutto
100 grams of fatty prosciutto
100 grams of Bolognese mortadella
1 hunk of butter
1 egg yolk
150 grams of hard, grated cheese
salt, pepper, nutmeg to taste
pasta dough (sfoglia, p. 23)

Whoever defined tortellini as "holy navels" was one hundred percent correct.

In a frying pan, briefly cook the pork loin in the butter. Once it has cooled, add the prosciutto and mortadella, grinding it all together (grind it twice if you prefer a very fine mixture). Mix the ground meat, remaining pan drippings, egg yolk, grated cheese, salt, pepper and nutmeg together well with your hands, until it becomes soft and uniform, then leave it to sit for a little while.

Roll out the pasta dough, cut into squares, put a spoonful of the meat mixture on every square and close them so they look like navels (if you have never done it, watch an Italian mama do it). The smaller they are, the better.

Boil them for about 5 minutes in a good broth, preferably from a free-range capon. If you plan to eat them dry or with a cream sauce instead, it would be like receiving Divine Grace and then wasting it. However, do as you wish.

Tajadèl sótti

Dôś dla spójja par sî:
mèż chillo schèrs ed faréńna
zénc ôv frasschi
matarèl, bôni man e… gninta âcua

In vatta al tulîr, inpastè col man la faréńna insàmm ali ôv. Quand ste inpâst l é bèl léss, lasèl arpuśèr quêrt par zîrca mèż'åura. Tirè pò l inpâst col matarèl fén ch'an dvänta una spójja sutîla mo ch'la n se strâza, ch'a lasarî pò asughèr.

Adès l'é da arudlinèr e da tajèr in strisléńni ed zîrca mèż dîd, o pió s'el pièśen lèrghi. S'a vlî fèr del tajadèl da brôd, eli én da tajèr sutîli cómm un sulfanén.

El tajadèl sótti, côti al dänt, avî da cunzèrli col ragó bulgnaiś (rizèta p. 18) e quassta, par mé e par la mażåur pèrt di ptrugnàn, l'é la mnèstra sótta ch'la stà in vatta a tótti el claséffic di prémm piât. L'é una galantarî, un cheplavåur, un magnèr da paradîś: la vaira regéńna dla cuśéńna bulgnaiśa.

Par fèr la spójja da tajadèl vairdi o da laśagnàtt, ażuntè int l inpâst un étto ed fói ed spinâz bujé e strichè par cavèri l'âcua ed buidûra. Se l inpâst al fóss trôp tàndder, mitîl a pôst ażuntànd un pô d faréńna.

Tagliatelle bolognese

Serves 6 people:
500 grams of flour at most
5 fresh eggs
a rolling pin, good hands and... no water

On a clean pastry board, mix the flour and the eggs together with your hands. Once the dough is wet and soft, cover and let it rest for about half an hour. Roll it out with the rolling pin without tearing it, and leave it to dry.

Fold the dough gently over itself in large folds, then cut it into strips about half a finger's width, or wider if you prefer. In this way, it will be faster and easier to cut the tagliatelle. If you want tagliatelline to eat in broth, cut them about the width of matchsticks.

The tagliatelle, boiled in salted water, have to be served with ragù bolognese (p. 19). This dish, for the majority of Bolognese and for myself, is the pinnacle of first courses. It is a delicacy, a masterpiece, a paradisiac dish: the true queen of Bolognese cuisine.

To make a green dough (sfoglia) for tagliatelle or lasagna, boil 100 grams of spinach leaves, wring them out and add them to the dough. If the dough is too soft, add a bit of flour.

Tajadèl con la tartóffla

Dôṡ par sî:
tajadèl (rizèta p. 22)
un étto ed fåurma gratè
un étto e mèż ed butîr
un pô ed brôd
sèl e påvver
tartóffla bianca

Una vôlta, pr avair la tartóffla, l êra asè che in famajja o stra i cgnusént ai fóss un quelcdón con un cagnàtt ch'l andéss a rumghèr in culénna. Al turnèva con una quèlca balténna ch'al regalèva o al vindèva pr una canta. Al dé d incû l é pió fâzil: ai vôl såul al catuén con una gran butrîga.

La Mariôla l'à sänper détt che par gustèr al mâsum el tajadèl con la tartóffla, al môd miåur l é quasst.

Par preparèr la cónza: dsfè al butîr, mitîl insàmm ala fåurma gratè, armiṡdè fén ch'an dvänta incôsa unifåurum, ṡlunghè con dal brôd chèld, sèl e påvver, armiṡdànd ancåura.

Quand el tajadèl el sran côti al dänt (òcio ch'i n pâsen d cutûra!), sculèli in fûria, cunzèli con sta cónza e sóbbit sfitlè la tartóffla såura ògni piât.

24

Tagliatelle with Truffles

Tagliatelle al tartufo

Serves 6 people:
Tagliatelle (p. 23)
100 grams of grated Parmigiano Reggiano
150 grams of butter
a bit of broth
salt and pepper, to taste
white truffles

To get truffles in the past, all you needed to do was know someone who gathered them in the hills with a truffle hunting dog. The truffle hunter came back with a chunk that he would give to you or sell to you at a very low price. Today, it's much easier; all one needs is a fat wallet.

Mamma Maria swears that this is the best way to make tagliatelle al tartufo.

To prepare the sauce: melt the butter and add the cheese, mixing until it is uniform. Dilute it out with hot broth, and add salt and pepper while continuing to mix.

Once the tagliatelle are cooked al dente (be careful to not overcook them!), strain them quickly, dress with the sauce and slice truffles on top of every serving.

Laśagnàtt vairdi

Dôś par sî:
una spójja vairda (rizèta p. 22)
ragó (rizèta p. 18)
balsamèla
fåurma
tartóffla, s'la pièś e s'avî di góbbi

Mitî par dû minûd in âcua bujänta la spójja vairda tajè a quadartón. Cavèla dal'âcua chèlda, pasèla int la fradda e mitîla dstaiśa só un burâz par fèrla asughèr.

Tulî una rôla retangolèr, o pirôfila, ónta con un pôc ed ragó. Fè un lèt coi quadartón ed pâsta ch'l'é pò da crûver ed ragó, fåurma e socuànt fiuchétt ed balsamèla. S'avî anc la tartóffla, gratè pûr, ch'l'é ôr dal dśdôt! Seguitè acsé, alternànd un sulèr ed pâsta e ón ed cónza, fén ch'a n avî arżónt l'altazza ed zîrca sî o sèt zentémmeter e l ûltum lèt al séppa ed cónza. S'i v pièśen, int la cónza a psî ażuntèri deli archèst.

Scaldè al fåuren fén a 230 grèd e insfilzèi dänter la rôla, lasàndila par vént-tränta minûd. Quand in vatta ai srà una bèla gråssta brustlé mo brîśa strinè, a psî cavèr, tajèr el purziàn e sarvîr.

Par fèr la balsamèla: dsfè mèż étto ed butîr int una cazarôla e quand l é dvintè léccuid mitîi mèż étto ed farénna, fagandla cûśer par socuànt minûd sänpr armiśdànd. Salè, ażuntèi pôc ala vôlta mèż lîter ed lât e armiśdè sänper fén ch'an lîva al bói. L'ha da dvintèr mulśénna e sänza balûc.

Spinach Lasagna

Lasagne verdi

Serves 6 people:
a green sfoglia (p. 23)
ragù bolognese (p. 19)
bèchamel sauce (see below)
Parmigiano Reggiano
truffles, as you wish

Put the green pasta dough, cut into quadrants, in boiling water for 2 minutes. Take them out, dip them quickly in cold water and lay them out to dry on a dish towel.

Take a rectangular baking dish and cover with a bit of ragù. Make a layer of pasta quadrants over the ragù, then cover in ragù, bèchamel and Parmigiano Reggiano. (If you have truffles, grate them and add the sublime to your dish.) Continue like this, alternating between layers of pasta and stuffing, until the dish is about 6 or 7 centimetres high. The last level must be the stuffing. If you like, you can add ragù made with chicken giblets.

Bake in the oven at 230° C for about 20-30 minutes. Make sure the pasta is cooked but without burning the top. Take it out, let it rest for a few minutes, cut into portions and serve.

For the bèchamel sauce: melt 50 grams of butter in a saucepan. Once it liquefies, add 50 grams of flour, letting it cook for a few minutes while continuing to stir. Add salt and slowly add half a litre of milk, continuing to mix until it boils. It must be soft and without clumps.

Turtlón da viżégglia

Dôṡ dal pén par sî:
sî étto d arcôta rumèna
mèż étto ed prasôl tridè
dû tórrel fréssc
un étto ed fåurma gratè
un spîguel d âi, tridè insàmm al prasôl
sèl, påvver, udåur ed nûṡ muschèta gratè
spójja (riżèta p. 22)

A l sò bän che, al dé d incû, såul a sénter dscårrer d âi quèṡi tótt i dan d nèṡ. Mo s'a fè la prôva tgnand la man alżîra, a v n acurżrî che delézzia!

Inpastè dimónndi al pén col man mistiànd pulîd incôsa, fén a fèrel dvintèr quèṡi una cramma. Tajè la spójja a quadrétt pió grand ed quî pr i turtlén e só ognón mitî un pô ed pén, pigànd pò al quadràtt ala stassa manîra di turtlén. Insàmma: i han da dvintèr di blîguel grand. Però stè in uraccia quand a i asrè, parché la stricadûra l'ha da èser delichèta, sinchenå dåpp cût i avanzaràn durtén in cal pónt lé.

I turtlón ch'ai saltarà fôra i én da cûṡer al dänt in âcua salè e quand i vénnen a gâla i én bî e cût. Adès a psî cunzèri secånnd i gósst: con butîr e pasè d pundôr, con butîr e sèlvia o, cum i um pièṡen a mé, ch'i n i mâgnen quèṡi inción, col nôster ragó prezîṡ a quall pr el tajadèl, sfurmajànd sänza avair pôra.

28

Tortelloni della vigilia

Serves 6 people:
600 grams of ricotta cheese from sheep's milk
50 grams chopped parsley
1 clove of garlic, chopped with the parsley
2 fresh egg yolks
100 grams of grated Parmigiano Reggiano
salt, pepper, and a pinch of nutmeg
pasta dough (sfoglia, p. 23)

I know very well that nowadays, hearing talk of garlic makes everyone turn up their noses. But if you try it without being dramatic, you will agree that it's delicious!

To make the stuffing, mix the ingredients together with your hands until it becomes soft and uniform. Cut the pasta dough into squares bigger than those for tortellini, and on each one, place a bit of stuffing, folding them into navels in the same way as for tortellini. However, be attentive when closing them, because the meeting point has to be delicate, or it will remain hard even after having been cooked.

The best tortelloni are cooked al dente in salted water. They are ready when they float to the top. Now you can serve them how you like: with butter and tomato sauce (so-called butter and gold), with butter and sage, or, how I like them and how nobody else eats them, with the same ragù bolognese that one uses for tagliatelle, covering fearlessly with Parmigiano Reggiano.

Pasatèlli

Dôŝ par sî:
sî ôv frasschi
trî étto ed pan gratè
trî étto ed fåurma
mèż étto schèrs ed butîr
sèl, påvver, nûŝ muschèta gratè
anbrålla ed bå

I dîŝen che sta mnèstra la séppa nèda in Rumâgna mo, anc s'al fóss acsé, a Bulaggna l'ha ciapè tant ed cal på ch'la s pôl cunsiderèr una mnèstra ptrugnèna.

Inpastè la fåurma e al pan insàmm ali ôv, ażuntànd butîr dsfât, pan e fåurma, anbrålla, adèŝi e pôc ala vôlta par môd che l inpâst an dvänta trôp cudràggn. Ajustè ed sèl, påvver e nûŝ muschèta. Quand al srà dvintè a mèża vî stra al dûr e al tànnder, al psî pasèr int al stanp ŝbuŝanè ch'adruvè anc pr al purè ed patèt.

In st mänter fè bójjer un bån brôd ed chèren ed galéṅna preparè prémma. Quand l arà livè al bói, bucèi dänter i bigât ch'i én vgnó fôra dal stanp, cioé i pasatèlli. Lasèi bójjer par dû-trî minûd e i sran bèle in åurden.

Al détt ed mî pèder Gino pr i pasatèlli l êra "i van bän par cunfurtèr al ståmmg".

Passatelli

Serves 6 people:
6 fresh eggs
300 grams of bread crumbs
300 grams of Parmigiano Reggiano
50 grams at most of butter
salt, pepper and nutmeg, to taste
ox marrow

They say that this soup comes from Romagna but, it is so widely made in Bologna that it can be considered a Bolognese soup.

Knead the eggs with the cheese and bread crumbs, adding melted butter and the marrow. The dough must be made slowly and carefully to avoid becoming too hard. Add the salt, pepper and nutmeg. When it has arrived at a medium consistency, not too hard or too soft, pass the dough through a potato ricer, used for potato purèe.

In the meantime, boil a good beef and chicken broth, prepared in advance. Once it boils, add the passatelli and then drain them after 2-3 minutes.

The thing my father, Gino, always used to say about passatelli was, "They are the best thing to comfort the stomach."

Mnèstra ed faśû

Dôś par sî:
trî étto ed faśû sécc, o un chíllo s'i én fréssc
un étto e mèż ed cåddga d ninén
mèż étto ed lèrd
pasè ed pundôr e un misclén ed brôd
una zivålla e mèż, sàrrel e pistinèga, una patèta
zénc spîguel d âi (3+2) e dû póggn ed prasû
dû étto e mèż ed pâsta (meltajè, didalén) o rîś
sèl e påvver

Mitî a cûśer i faśû (s'i én sécc, lasèi a mói par dågg' åur con la cåddga) fagandi bójjer in zîrca dû lîter d âcua salè par dåu åur e mèż insàmm a sàrrel, pistinèga, una zivålla, patèta e trî spîguel d âi. Pasè incôsa, tgnand da pèrt la cåddga e un pô ed faśû da lasèr intîr.

Int un tién ed teracôta, mitî al lèrd pistè insàmm ala mèża zivålla e ai èter dû spîguel d âi. Fè sufréżżer fén ch'i n han ciapè la rôśa, azuntè al prasôl tridè, armiśdè ancåura pr un minûd, mitî al pundôr e pò al misclén ed brôd e lasè cûśer mèż'åura a fûg bâs.

A ste pónt fè maridèr ste sufrétt col brôd ed faśû ch'avèvi preparè, ażuntèi el cåddg, fè bójjer e cûśî la pâsta pió gradé o al rîś. Ala fén mitî i faśû intîr, una maśnadéńna ed påvver, s'av pièś un fîl d ôli, e a psî sarvîr. Sta mnèstra, i al san tótt, la métt un pô ed subólli int el vésser.

Mî zién Nâto, che int al sô gèner l êra un canpiån, dåpp avairla magnè l andèva a fèr un bèl gîr al'âria avèrta.

Pasta and Beans

Pasta e fagioli

Serves 6 people:
300 grams of dried beans, or 1 kg of fresh beans
150 grams of pork rind
50 grams of lard
tomato sauce and a ladle of broth
one celery stalk, carrot, potato, and one and a half onions
5 cloves of garlic and 2 sprigs of parsley
250 grams of pasta (maltagliati, ditalini) or rice
salt and pepper, to taste

Boil the beans (if they are dry, first leave them to soak in water for 12 hours with the pork rind) in about 2 litres of salted water for two and a half hours with one onion, celery, carrot, potato and 3 cloves of garlic. Strain everything, and save the pork rind and some of the beans to remain whole.

In a small terracotta pan, whip the lard with the half onion and the other 2 cloves of garlic. Lightly fry until browned, then add the chopped parsley. Mix for another minute, then add the tomato, then the broth, and then leave to cook on a low flame for half an hour.

At this point, add the vegetable-bean mixture prepared earlier, add the pork rind back in, bring to a boil and then add the pasta of your choice or rice. Once the pasta or rice is cooked, at the whole beans earlier set aside, ground pepper and a bit of oil, if you wish. Be careful: this soup, as everyone knows, can cause upset stomachs.

My uncle Nâto (Arnaldo), who in his time was a champ, after eating this soup would have to pass a beautiful day in the open air…

Gramaggna e susézza

Dôś par sî:
trî étto ed susézza frassca
ón o dû cucèr d ôli
un étto zîrca ed pundôr pasè
un mèż scalfàtt ed vén bianc sacc
mèża zivålla
fåurma secånnd i gósst
sî étto ed gramaggna frassca

Quand as inftèva al ninén, l êra quèśi ubligatôri fèr sta cónza con un pôc d inpâst frassc ed susézza e adruvèrla par cunzèr la gramaggna.

Cavè la susézza dala budèla, dśgranèla pulîd con una furzéńna e mitîla a sufréżżer con l ôli e la zivålla pistè, incôsa insàmm. Quand l'arà ciapè culåur, ażuntèi al vén fagàndel śvapurèr. Ala fén, ażuntèi anc al pundôr e andè d lóng a cûśer par zîrca un quèrt d åura.

Da una pèrt, cûśî la gramaggna in âcua salè. Sculèla, arbaltèla int la sô pgnâta ed cutûra ancåura chèlda, bucèi sóbbit dänter la fåurma armiśdànd pulîd, e, ala fén, la cónza armiśdànd ancåura un pôc in vatta al fûg bâs.

A propôśit ed gramaggna: se invêzi ed cûśer cla sacca confezionè a pséssi fèrla frassca, col tôrc' o la machinatta e i sû stanpén, al śguazén al srêv bän pió grand.

Gramigna with Sausage

Gramigna alla salsiccia

Serves 6 people:
300 grams of fresh sausage
1 or 2 spoons of oil
100 grams of tomato sauce
half a glass of dry white wine
half an onion
grating cheese, to taste
600 grams of fresh gramigna pasta

When one slaughtered a pig, it was almost obligatory to prepare this sauce with a bit of ground pork for the sausage and then to serve it on gramigna.

Take the sausage out of the casing with a fork and fry it in the oil with the minced onion. When it is browned, add the wine and leave it to evaporate. At the end, add the tomato sauce and allow it to cook for 15 minutes.

Separately, cook the gramigna in salted water. Drain them and add them to the still warm sauce. Add the cheese, and finally, mix over a low flame.

Speaking of gramigna: if instead of cooking packaged, dry pasta, you can make it fresh with a pasta press, this dish will come out even better.

Varmizî col tån

Dôṡ par sî:
trî étto ed tån sått'ôli dṡguzlè
dîṡ scuciarè d ôli d ulîva
una zivålla ed grandazza nurmèl
pundôr pasè, secånnd i gósst
påvver secånnd i gósst
mèż chíllo-sî étto ed varmizî, secånnd la ṡghéssa

Mitî in una tajja l ôli insàmm ala zivålla tridè e, a fûg bâs, fèi cia-
pèr la rôṡa. Quand la zivålla la srà bèla biånnda, ażuntèi al tån
ṡbriṡlàndel int la tajja e lasè cûṡer incôsa insàmm par zîrca zénc
minûd.

Quand sta cónza la srà armistiè pulîd, bucè int la tajja al pundôr
con un pzigutén ed påvver, lasànd cûṡer ancåura pr una vinténna ed
minûd só una fiâma a mèża vî.

A pèrt, fè cûṡer i varmizî int l'âcua salè e cunzèi armiṡdànd pulîd.
Quasst l é un magnèr ch'al và benéssum par fèr viżégglia, ch'al s
magnèva al vèner o ala viżégglia ed Nadèl. Intinimôd, anc s'an fóss
brîṡa un dé ed viżégglia e in cà a fóssi avanzè sänza tajadèl, magnèr i
varmizî col tån l é prôpri un ṡgugiôl. Una vôlta che la nôna Argia l'êra
pió spanézza dal nurmèl, la fé sta cónza con dla ventrassca ed tån ch'-
l'êra chèra a sangv. Tótt quî ch'i magnénn i génn ch'i n avèven mâi
sintó una buntè acsé granda.

Spaghetti with Tuna

Spaghetti col tonno

Serves 6 people:
300 grams of canned tuna, drained
10 spoons of olive oil
1 normal sized onion
tomato sauce, to taste
pepper, to taste
500-600 grams of spaghetti, to appetite

Put the oil with the minced onion in a saucepan over low heat until lightly fried. When the onion is browned, crumble the tuna into the pan and leave to cook for 5 minutes.

When the mixture has come together, add the tomato sauce and pepper, leaving to cook for another 20 minutes on medium heat.

Separately, cook the spaghetti in salted water and then toss with the sauce, mixing well. This is a dish that in the Bolognese tradition is reserved for Friday and for religious vigils, such as Christmas Eve. In any case, even if it is not a vigil and you are home without tagliatelle, eating spaghetti col tonno is a great pleasure. One time, when Grandma Argia was feeling more lavish than usual, she made the sauce with extremely expensive tuna steak; all of the guests said they had never tasted anything so good.

Linguistic note: this plate is often called in jest, "Spaghetti col tuono" (spaghetti with thunder).

Varmizî col pevrâzi

Dôŝ par sî:
sèt étto ed varmizî
dû chíllo ed pevrâzi rumagnôli
tränta grâm ed butîr
una zivålla tridè
dû spîguel d âi tridè
un póggn ed prasôl tridè
mèż chíllo ed pundôr plè
quâter cucèr d ôli d ulîva bån
sèl e påvver

Anc quasst qué l é un magnèr da viżégglia. Una vôlta, un fachén
numinè Maŝaggna ch'al stèva in Brochindôs, al turné da Rémmin con
un sacàtt ed zénc chíllo ed pevrâzi. Al gé a sô mujêr d adruvèri par la
cónza, al fé cûŝer una quantitè ed varmizî adâta e... al magné incôsa.
Èter magnadûr.

Lavè pulîd el pevrâzi, mitîli int un tegâm quêrt e lasèli a fûg nor-
mèl fén ch'el n én avêrti. Cavè i ciciulén e tgnî d'acât l'âcua ed cutû-
ra filtrè.

Int l ôli e butîr, fè un sufrétt con zivålla e âi, fén ch'i n han ciapè
la rôŝa. A cal mumänt lé, mitî dänter i pundôr tajè a trucadén e al pra-
sôl. Fè cûŝer adèŝi zîrca mèż'åura pr infisîr al bagnulén, ażuntànd
pian pianén l'âcua del pevrâzi. Mitî i ciciulén del pevrâzi e fè cûŝer pr
èter zénc minûd e la cónza la srà in åurden.

Cuŝî i varmizî int l'âcua salè, cunzè con ste tucén e una
maŝnadéńna ed påvver par chi i pièŝ.

Spaghetti with Clams

Spaghetti alle vongole

Serves 6 people:
700 grams of spaghetti
2 kg of clams
30 grams of butter
one minced onion
2 minced garlic cloves
a handful of minced parsley
500 grams of peeled tomatoes
4 spoonfuls of extra virgin olive oil
salt and pepper

This is also a traditional vigil dish. One time, a worker named Ma aggna, came back from Rimini with 5 kilograms of clams. He gave them to his wife to make the sauce, she cooked up a good amount for spaghetti, and… they ate it all. Well, their guests ate it all.

Thoroughly wash the clams, put them in a covered pot and leave them to cook over a medium flame until they open. Strain the clams and save the water to the side.

In oil and butter, make a soffritto with the onion and garlic until they are well browned. Add the chopped tomatoes and minced parsley. Cook the mixture on low for about half an hour, adding the water from the clams if it becomes too reduced. Add in the clams, continue to cook for another 5 minutes and the sauce is ready.

Cook the spaghetti in salted water and garnish with this sauce and freshly grated salt and pepper, to taste.

Varmizî con l'anciåvva

Dôŝ par sî:
sèt étto ed varmizî
dŝdôt filétt d anciåvv såtta sèl
dåu zivåll tridè
sî cucèr ed câper tridè
dîŝ cucèr d ôli d ulîva bån
âcua

L é un magnèr da viżégglia che la mamà la fèva spass al vèner, e al fà tanta parè che mî pèder al le magnèva con di grugnulén ed pan.

La rizèta l'é fâzil e la s pôl fèr int un spéll.

Mitî el zivåll tridè a scutèr apanna int l ôli, ażuntè dl'âcua pôc ala vôlta fén che la zivålla la n é côta.

Mitî anc el'inciåvv, lavè e antè da sèl e rassc, armiŝdànd con un cucèr ed laggn fén ch'el n én dsfâti.

Ŝmurzè al fûg e bucè dänter i câper, armistiandi ala sèlsa ch'ai é vgnó fôra, pò cunzè i varmizî.

Spaghetti with Anchovies

Spaghetti alle acciughe

Serves 6 people:
700 grams of spaghetti
18 fillets of salted anchovies
2 minced onions
6 spoons of minced capers
10 spoons extra virgin olive oil
water

This is a vigil food that my mother often made on Friday; the sauce is so appetizing, my father ate it with croissants in the morning.

The preparation is easy and fast.

Put the minced onion and barely fry it in the oil. Add water a bit at a time until the onion is cooked.

Then add the anchovies, washed and dried, mixing them with a wooden spoon until they completely dissolve.

Turn off the flame and pour in the capers, mixing until you have the perfect sauce, then serve on the spaghetti.

Varmizî con l'arvajja

Dôṡ par sî:
sî étto ed varmizî
un étto ed parsótt
un chíllo d arvajja dṡgranè
un pô ed butîr o d ôli
mèż étto ed panzatta
mèża zivålla
un pugnadén ed prasôl e una cûsta ed sàrrel
fåurma gratè
brôd ed dâdo
sèl e pàvver

Sta cónza pr i varmizî con l'arvajja la n é brîṡa da cunfånnder con cl'ètra ch'l'ha l'arvajja insàmm al ragó.

Con la lunatta fè un pistadén ed panzatta, zivålla e sàrrel, pò mitîl a sufréżżer con butîr o ôli. Quand l arà ciapè la rôṡa, ażuntèi l'arvajja dṡgranè, al parsótt sfitlè sutîl e tajè a parpadlén, prasôl ṡbriṡlè, sèl e pàvver. Fè andèr pûc minûd e ażuntèi un misclén ed brôd. Abasè la fiâma, cruvî al tegâm e lasè cûṡer trancuéll fén che l'arvajja la n srà dvintè bèla tanndra. Ògni tant dèi una ṡbarlucè e, s'l'avéss da asughères, ażuntèi mèż misclén ed brôd ala vôlta. Quand i varmizî i sran bî e cût e sculè, fichèi dänter ste tucén, armiṡdè, e fè piôver int i piât un bèl scuâs ed fåurma.

Fôra ed Stra San Dunè ai êra un'ustarî dóvv la cûga l'êra una spezialéssta par sta cónza e la mażåur pèrt di avintûr i dmandèven sta mnèstra. Una vôlta ai capité un fachén numinè Carlån Fumèna, gran fumadåur ed tuscàn e gran ṡbafadåur, ch'l in tafié nôv raziån e l in vlèva di èter. Tótt dṡgustè parché la cûga la gé d an avairen pió, as cunsulé con sî cutulàtt e un pistån d Albèna.

42

Spaghetti with Peas

Spaghetti ai piselli

Serves 6 people:
600 grams of spaghetti
100 grams of prosciutto
1 kg fresh peas, shucked
a bit of butter or oil
50 grams of pancetta
half an onion
a handful of parsley and a celery stalk
grated Parmigiano Reggiano
broth
salt and pepper, to taste

This sauce for spaghetti with peas is not to be confused with the other dish, also with peas, that calls for ragù bolognese. With the mezzaluna knife, mince the pancetta, onion and celery together, then put with the butter or oil to fry. When the mixture is browned, add the peas, the prosciutto (sliced thinly and chopped into fourths) minced parsley, and salt and pepper to taste. Let it cook for a few minutes and add a half ladle of broth as needed. Lower the flame, cover the pan and leave it to cook slowly until the peas are tender. Every once in a while, check on it, and if it is too dry, add a ladle of broth. When the spaghetti are cooked and strained, put this sauce on top, mix it together, serve and then let rain a beautiful storm of Parmigiano on top.

Outside of the San Donato Gate, there was an osteria where the chef was a specialist in this sauce, and the majority of the clientele asked for this as a first course. One time there was a laborer nicknamed *Carlone Fumana*, a big smoker of Tuscan cigars and a big eater, who went through nine portions and still wanted more. Very upset because the chef told him there wasn't any more, the chef consoled him with six cutlets and two litres of Albana wine.

Gnûc bulgnîs

Dôs par sî:
dû chíllo ed patèt farinåusi
quâtr étto zîrca ed farénna
ragó bulgnais o pundôr pasè, secånnd i gósst
butîr, s'a i cunzè col pundôr
fåurma
sèl

Fè cûser alàss el patèt sänza plèrli. Quand el sran côti, dåpp avairli plè, bisåggna scuizèrli chèldi int al scuezzapatèt cómm s'avéssi da fèr al purè. Inpastè el patèt con la farénna, badànd ed fèr vgnîr un inpâst piotôst mulsén.

Quand l inpâst al srà bèl unifåurum, avî da fèr di bigât grûs zîrca un didån ch'a tajarî a pzulén ed dû-trî zentémmeter. Pasèi int la farénna par môd ch'i n s atâchen e fèi ruzlèr, scuizandi, int al dedrî d una gratûsa o såura una furzénna.

Fèi bójjer in abundanta âcua salè e tirèi fôra con una raménna, ed man in man ch'i vénnen a gâla.

S'a i cunzè col ragó, a psî fèri anc apastizè. In ste chès avî da ónnżer una rôla con dal butîr, méttri dänter i gnûc cunzè, infurmajèr e méttr in fåuren bän chèld fén che såura an i srà vgnó una bèla gråssta, mo brîsa strinè.

Gnocchi bolognesi

Serves 6 people:
2 kg of floury potatoes
around 400 grams of flour
ragù bolognese or tomato sauce, to preference
butter, if using tomato sauce
Parmigiano Reggiano
salt

Boil the potatoes with the skin on. Peel them and mash them in the potato masher as if you were making purèe. Knead the potatoes with the flour, looking to end up with a very soft dough.

When, while working the dough, it becomes uniform, make long cylinders as fat as your thumb and cut them into pieces 2 or 3 centimetres long. Pass them through the flour so they do not all stick together, then press the tops with a fork.

Boil them in plenty of salted water and take them out one by one as they rise to the surface.

If you serve them with ragù, you can also make a gnocchi pie. In this case, butter a baking dish, put the gnocchi in after adding the ragù, cover them in grating cheese and put in the oven until a crust forms on top, but without burning them.

Strichétt con l'arvajja

Dôś par sî:
mèż chíllo schèrs ed farénna
zénc ôv frasschi
matarèl, bôni man e… gnínta âcua
ragó bulgnaiś (rizèta p. 18)
trî étto d arvajja frassca dśgranè
fåurma

Quand as fèva la spójja pr el tajadèl o i turtlén, as adruvèva i arśói par fèr i strichétt. Mo as pôl anc fèr una spujénna apôsta, parché i én una bôna mnèstra nustrèna.

Preparè una spójja, prezîś a cómm s'avéssi da fèr el tajadèl (rizèta p. 22). Quand la srà bèla e dstaiśa in vatta al tulîr, apanna fâta e prémma ch'l'èva da asughères, tajè col curtèl o la sprunèla di quadartén ed zîrca trî zentémmeter, stricandi pò int al mèż par fèri dvintèr una spêzie d na parpâja. Mo òcio: an i strichèdi brîśa trôp fôrt, sinchenå quand i s cûśen i avànzen dûr prôpri lé int la stricadûra.

Par cunzèri adruvè al ragó nustràn con sta żónta: un'åura bôna prémma che al ragó al finéssa ed cûśres, bucèi dänter l'arvajja ch'la s cûśa insàmm.

Fè bójjer i strichétt in âcua salè e cunzèi acsé, infurmajànd sänza remisiån.

46

Stricchetti with Peas

Stricchetti con piselli

Serves 6 people:
500 grams of flour at most
5 fresh eggs
rolling pin, good hands and... no water
ragù bolognese (p. 19)
300 grams of fresh peas
Parmigiano Reggiano

When you make the pasta dough for tagliatelle or tortellini, you can use the scraps to make stricchetti. But you can also make a pasta dough just for these, because it is a good local type of pasta.

Prepare the pasta dough as if you were making tagliatelle (p. 23). When you have rolled it onto the pastry board, before it dries, cut some squares of about 3 centimetres using a straight knife or a serrated knife if you want jagged edges. With two fingers squeeze them right at the centre to obtain a butterfly (or bow-tie) shape. But be careful: do not press too hard, or once cooked, the centre will remain too hard in the middle.

To garnish, use this local modification to the ragù: one hour before the ragù finishes cooking, add peas to cook in the sauce.

Boil the stricchetti in salted water and serve with ragù and abundant Parmigiano on top.

Pancôt

Dôś par sî:
mèż chíllo ed pan sacc
utanta grâm ed butîr
mèża inpuléṅna d ôli d ulîva
un étto ed fåurma gratè
ónna o dåu ôv frasschi, a piaśair
dû misclén ed brôd (anc mât)
sèl e påvver

L êra cunsidrè un magnèr da puvrétt, quand int una cà an s psèva catèr èter che dal pan dûr. Mo quassta l'é la rizèta, cunzè magâra, ch'la vgnèva fâta da quî ch'i avèven manca plómma.

Tajè al pan a pzulén, mitîl a mói in un pôc d âcua fradda e, dåpp ch'a i l avî lasè pr una ciôpa d åur, fichèl int na pgnâta d ètra âcua con la metè dal butîr, l ôli e un scróppel ed sèl.

Fè bójjer con vigåur, ażuntànd pò al brôd e fagànd cûśer par zîrca vént minûd.

Da una pèrt, śbatî l ôv insàmm ala fåurma e al'ètra metè dal butîr ch'a n avî brîśa adruvè. Dstinprè sta papéṅna con un misclòt ed pancôt ch'l é in cutûra e pian pianén ażuntèi incôsa armiśdànd pulîd.

Sarvî in scudèla con una maśnadéṅna ed påvver.

In dialàtt, "cuntintèr al bûś dal pancôt", al vôl dîr rinpîres pulidén al cagiaràtt.

Pancotto

Serves 6 people:
500 grams of stale bread
80 grams of butter
half a bottle of olive oil
100 grams of grated Parmigiano Reggiano
1 or 2 fresh eggs, to taste
2 ladles of broth (can also use stock cubes)
salt and pepper, to taste

It was considered the food of the poor, who ate it when there was only stale bread at home. But this is a recipe with a lot of flavour, and now it is prepared even by those with the most opportunity.

Cut the bread into pieces and put it in a little cold water. Once you have left it for a couple hours, put it in a pot with water and half the butter, the oil and a pinch of salt.

Bring to a high boil, adding broth and then let cook for twenty minutes.

Separately, beat the eggs with the Parmigiano and the other half of the butter. Add a ladle of the soup you are cooking to the eggs, then slowly add the egg mixture to the soup, mixing well.

Serve in soup bowls with a bit of freshly ground pepper on top.

In dialect, "to please the pancotto hole" means to fill your stomach well.

Macarón coi figadétt

Dôs par sî:
sî étto ed macarón
dîs fégghet ed galéṅna
una zivålla
una cûsta ed sàrrel, dåu pistinèg
pundôr pasè, secånnd i gósst
fåurma gratè
butîr

Par chi i pièṡ l amåur dal fégghet, quassta l'é una galantarî. Mé ai ho vésst zertón cminzipièr a magnèr sti macarón a livadént, pinsànd al fégghet, e finîr dmandànd s'a i n êra di èter.

Cuṡî i macarón par dîs minûd int l'âcua salè, cavèi e mitîi a dṡguzlèr.

Fè al sufrétt in un pô ed butîr con la zivålla, al sàrrel e la pistinèga, incôsa tridè fén. Salè e inpevrè. Quand al sufrétt l ha ciapè la rôṡa, ażuntèi al pundôr pasè e dstinprè con un misclén d âcua. Lasè cûṡer al tänp necesèri pr infisîr, mitî dänter i fégghet tajè a pzulén cavandi prémma la vsighéṅna dal fêl. Da quand a i avî méss al fégghet, l ha da cûṡer såul par pûc minûd.

Unżî ed butîr una rôla da fåuren e tachè con un sulèr ed macarón, ón ed cónza, ón ed fåurma, e d lóng acsé fén ch'an i é finé incôsa. In vatta a incôsa ai và una bèla infurmajè.

Mitî int al fåuren a 180 grèd par zîrca trî quèrt d åura.

Maccheroni with Liver

Maccheroni ai fegatelli

Serves 6 people:
600 grams of maccheroni
10 chicken livers
one onion
one celery stalk, 2 carrots
tomato sauce, to taste
grated Parmigiano Reggiano
butter

For whoever loves the taste of liver, this is a delicacy. I once saw someone eat this maccheroni initially against their will, thinking about the liver, and in the end they asked for more.

Cook the maccheroni for 10 minutes in salted water, take out and strain.

Make the "soffritto" (mirepoix) in a bit of butter in a saucepan with the onion, celery and carrot, all finely minced. Add salt and pepper. When the soffritto is browned, add the tomato sauce with a ladleful of water. Leave to cook until it thickens, then add the livers, washed and chopped. They only need to cook a few minutes.

Cover a baking dish in butter and begin with a layer of maccheroni, then the sauce, then Parmigiano, and so on until it finishes. The last layer must be an abundance of Parmigiano.

Put in the oven at 180° C for about 45 minutes.

Rîş con la susézza

Dôş par sî:
sî étto ed rîş
trî étto ed susézza frassca ṡgranè
una zivålla tridè in fén
brôd bån o mât
pundôr pasè, secånnd i gósst
mèż scalfàtt ed vén bianc gròs
fåurma gratè
butîr
sèl

Mî pèder, quand al sintèva dîr che al rîş al và bän pr i cinîş, l
arspundèva: "Sé, parché a n avî mâi sintó al rîş con la susézza ch'la
fà cla dôna!".

Bucè un pôc ed butîr int una tajja e fèi sufréżżer la zivålla e la chè-
ren ed susézza bän ṡgranè. Quand l'arà ciapè culåur, ażuntèi al rîş, fèl
ruṡulèr armiṡdànd ed cunténnuv e vudè al vén. A vén ṡvapurè, mitî al
pundôr con un pô ed brôd e lasè cûṡer pr un quèrt d åura zîrca.

Un'arcmandaziån: con un cucèr ed laggn, armiṡdè sänper pr evi-
tèr ch'ai véggna un tacàn int al cûl dal tegâm.

Fè un asâg' par sénter la cotûra, agiustè ed sèl, e, apanna ṡmurzè
al fûg, ażuntèi la fåurma armiṡdandla pulîd. Lasè arspuṡèr socuant
minûd e sarvî int i piât.

52

Risotto with Sausage

Risotto con la salsiccia

Serves 6 people:
600 grams of rice
300 grams of fresh sausage
one onion
beef broth or from stock cubes
tomato sauce, to taste
half a bottle of dry white wine
grated Parmigiano
butter
salt

When my father was told that plain rice was good enough for the Chinese, he responded, "Yeah, because they have never tasted the risotto with sausage that my wife makes!"

Put a bit of butter in a pan and fry the onion and the sausage, removed from its skin and broken into pieces. When it is browned, add the rice, let it fry just a bit while continuing to mix, and then add the wine. When the wine evaporates, add the tomato with a bit of broth and cook for about 15 minutes.

A recommendation: with a wooden spoon, mix continuously to avoid letting the risotto stick to the bottom of the pan.

Cook it to the texture you prefer, add salt and, after turning off the flame, add the cheese and mix it in well. Let sit for a minute and serve on to plates.

Rîs dla Maria

Dôś par quâtr o zénc:
dû étto e mèż ed rîś
una pgnatéńna ed brôd bån
mèż étto o pió ed fåurma gratè
dû tórrel fréssc
mèż limån
sèl e pàvver

Ste rîś in brôd l'êra ónna del spezialitè ed mî ziéńna Maria ed Cavrén, ch'la gèva sänper ed magnèrel trancuéll parché l é da sustanza e an paiśa brîśa int al cagiaràtt.

Mitî só al brôd e, quand al bói, bucèi dänter al rîś lasàndel cûśer par zîrca vént minûd. In st mänter mitî int una taréńna i dû tórrel insàmm ala fåurma, śbatîi pulîd cómm s'avéssi da fèr un żabajån e vêrs la fén ażuntèi sèl e pàvver con al sûg d un mèż limån ślunghè con un pôc d âcua.

Quand al rîś l é côt, arbaltèl dänter ala taréńna armiśdànd dimónndi in môd tèl ch'as armésstia pulîd incôsa. Pò a psî fèr i piât e, se al brôd l é prôpi ed cal bån, a sintrî l amåur spezièl d un rîś ch'a n avî mâi magnè.

Maria's Rice

Riso della Maria

Serves 4-5 people:
250 grams of rice
one pot of beef broth
50 grams or more of grated Parmigiano
2 fresh egg yolks
half a lemon
salt and pepper

This rice in broth was one of my aunt Maria Caprini's specialties, who said to eat it without worries because it's nutritious and not too heavy.

Heat the broth and, when it boils, throw in the rice, leaving it to cook for about twenty minutes. In the meantime, put the two egg yolks and cheese in a bowl and beat them energetically as if you were making a very fluffy dessert. Towards the end, add salt, pepper, and the juice from the lemon diluted with a bit of water.

When the rice is done, empty it into the mixing bowl and mix it well to bring all the ingredients together. Then you can serve the plates; if you used a broth from good meat, you will taste the special flavour of a rice like you have never tried before.

Mnistréṅna

Dôṡ par sî:
trai ôv frasschi
dû cucèr ed pan gratè
un étto ed fåurma gratè
nûṡ muschèta
brôd bån
sèl

Ṡbatî såul i tórrel, ażuntèi al pan gratè, la fåurma, una gratadéṅna ed nûṡ muschèta e salè incôsa. Armiṡdè pulîd l inpâst fén ch'an dvänta unifåurum.

Da un'ètra banda muntè la cèra d ôv, bucèla int l inpâst e ṡlunghè con un misclén ed brôd fradd.

Fè bójjer una raziåṅ ed brôd ch'la séppa asè par sî. Quand l arà livè al bói, arbaltèi dänter l inpâst armiṡdànd con energî e sänza mâi dṡmétter. Dåpp trî-quâter minûd a psî ṡmurzèr e sarvîr.

L'é una mnèstra bôna par chi ha da arpuṡèr cagiaràtt e budèl o par chi fà fadîga a digerîr.

Un fundidåur ed Landén, ch'i al ciamèven Carbunèla, al magné una scudèla ed mnistréṅna parché l êra dsturbè ed ståmmg. Pò l andé al'ustarî, al s fé fréżżer sî ôv con la panzatta es al bvé dû lîter. Al gé ch'l avèva da cunbâter la diblazza…

Minestrina

Serves 6 people:
3 fresh eggs
2 spoonfuls of breadcrumbs
100 grams of grated Parmigiano
nutmeg
beef broth
salt

Beat the egg yolks, then add the bread crumbs, cheese, a grind of nutmeg and salt. Mix it well until it is uniform.

Beat the egg whites by themselves, add them to the mixture and add a ladleful of cold broth.

Bring a pot of broth big enough for six people to boil. When it begins to boil, turn the egg mixture over into the pot and mix energetically without stopping. After 3-4 minutes, you can turn off the flame and serve.

It is a good soup to soothe an upset stomach or for someone who has bad digestion.

A worker at the Landini metal factory, nicknamed Carbonella, ate a bowl of minestrina because he had indigestion. But then, he went to an osteria, and they made him 6 eggs with pancetta while he drank 2 litres of wine. Apparently, he needed to work on his weaknesses...

Macarunzén con l'arcôta

Dôś par zénc o sî:
sî étto ed macarunzén gubén
un étto ed fåurma gratè (mo brîśa rubè!)
trî étto e mèż d arcôta rumèna (ed pîgra)
mèż étto ed butîr
sèl, pàvver o pevrunzén

Mitî l'arcôta int una tajja e tachè a lavurèrla dimónndi con un cucèr ed laggn fén ch'la n é dvintè bèla mulśéńna. Finé sta lavuraziån al srêv pò méi pasèr incôsa con un śdâz, in môd tèl che l'arcôta la pôsa dśgranères pulîd. Quand la srà tanndra e delichèta ażuntèi la fåurma sänper armiśdànd, pò sèl e pàvver (o pevrunzén pzigåuś s'al v pèś de pió).

Mitî a cûśer i macarunzén e, dåpp avairi sculè, bucèi un âtum in padèla só la fiâma bâsa par môd ch'i avànzen bî chèld. Ażuntèi in fûria al butîr dsfât e tótta l'arcôta, sänper armiśdànd.

Sta rizèta la fó dè a mî ziéńna Ravénna (sé, la s ciamèva prezîś ala zitè), gran cûga, da una vciatta ed Badi (ataiś al lèg ed Suvièna) ch'la s ciamèva Émma e sô maré, Torquato, da żåuven l avèva fât anc al paståur. Par quasst al savèva dlîżer l'arcôta miåura ch'as pséss catèr.

Maccheroncini with Ricotta

Maccheroncini alla ricotta

Serves 5-6 people:
600 grams of short maccheroni
100 grams of grated Parmigiano
350 grams of ricotta cheese from sheep's milk
50 grams of butter
salt, pepper or chili pepper

Put the ricotta in a saucepan and whip it a lot with a wooden spoon until it becomes very smooth. Once this is done, it would be advisable to pass the ricotta through a sieve to really declump it. When it is pliable and delicate, add the Parmigiano while stirring, then add salt and pepper (or spicy chili pepper if you prefer).

Cook the maccheroncini and, after straining them, put them for a minute in a pan over a low flame so they remain hot. Quickly add the melted butter and all of the ricotta, always stirring.

This recipe was given to my Aunt Ravenna (yes, she was named after the city), a great chef, by an elderly lady from Badi (close to Lake Suviana) named Emma, whose husband, Torquato, worked as a shepherd as a young man. That's why she knew how to make the best ricotta possible.

Manfrón "da sustanza"

Dôś par sî:
sî étto ed manfrón sécc
un étto e mèż ed påulpa ed vidèl
s-santa grâm ed butîr
una mèża zivålla
una mèża pistinèga
dåu cûst ed sàrrel
mèż étto, o pió, ed panzatta
un cucèr ed faréńna
un tién ed brôd bån

Una vôlta, in dialàtt bulgnaiś, i macarón sécc e grand i êren ciamè anc "Manfrón". Par fèr la cónza, in ste chèś la påulpa ed vidèl la n vôl brîśa maśnè mo l'ha da èser tajè a trucadén col curtèl. Invêzi, con la lunatta, biśåggna tridèr in fén la panzatta e i udûr in vatta ala pistadûra. Pò mitî incôsa insàmm int una tajja: chèren, butîr, panzatta e udûr tridè.

Fè andèr a fûg bâs armiśdànd e, quand la chèren l'arà ciapè la rôśa, strumnèi in vatta al pzigôt ed faréńna inmujànd ed cuténnuv col brôd fén cha sta cónza la n srà côta. Int i ûltum dû-trî minûd finî ed cûśer con la fiâma alîgra armiśdànd pulîd par môd ch'an s atâca. Par la cutûra a psî calcolèr zîrca trî quèrt d åura. Par chi i pièś, as pôl gratèri un pô ed nûś muschèta e ed pàvver.

Quand i manfrón i én cût cme sôlit int l'âcua salè, cunzèi con ste tucén, dèi una benziàn sänza arsprèmi con dla fåurma bôna e mitîi in tèvla.

Tugnazén, un lavandèr ch'l avèva butaiga al mulén d Pscarôla (quall che al dé d incû, śbagliànd, i ciâmen "Mulén bruśè"), al gèva che par lavurèr con dla spénta biśåggna fèr claziàn ala maténna prèst con sti manfrón: mo fôrsi l'êra una tumlè par magnèri spass, parché a ló i i piaśèven dimónndi.

60

Dried "Energetic" Maccheroni

Maccheroni secchi "energetici"

Serves 6 people:
600 grams of dried, large maccheroni
150 grams of veal
60 grams of butter
half an onion, half a carrot
2 celery stalks
50 grams, or more, of pancetta
a spoonful of flour, a small pan of beef broth

At one time, in Bolognese dialect, dried, large maccheroni were also called "Manfroni". To make the sauce, the meat does not have to be ground, but it does have to be cut into small pieces with a knife. On the other hand, you need to finely mince the pancetta, onion, celery and carrot on a cutting board. Then, put it all in a saucepan: meat, butter, pancetta and minced vegetables.

Put the flame on low while stirring. When the meat is browned, pour the flour on top and continuously add broth until the meat is completely cooked. In the last 2-3 minutes finish cooking with a high flame and continue to mix to avoid letting it stick to the bottom. You can calculate it taking about 45 minutes to bake. If you wish, you can add a bit of ground pepper and nutmeg. When the pasta is cooked in salted water, garnish it with sauce, bestow it shamelessly with aged Parmigiano and bring it to the table.

Antonino (Antonio Mandrioli), a laundryman who has a small shop at the Pescarola mill (the one today that we incorrectly call "burned mill"), said that to work with energy, he needed to eat these Manfroni for breakfast; but, maybe it was just an excuse to eat them often because he was so gluttonous.

Rîŝ col bâc'

Dôŝ par quâtr o zénc:
dû étto e mèż ed rîŝ
trî étto ed bâc' ed vidèl
una cûsta ed sàrrel
dû pundôr madûr
dåu pistinèg

Anc al bâc' l êra chèren da puvrétt parché la custèva pôc e el famai, apanna ch'i psèven, i l adruvèven såul da dèr da magnèr ai gât. Però, quand durànt la guèra an i êra un bajôc ch'as inzuchéss in cl èter, mî mèder la l adruvèva par cunzèr al rîŝ con una rizèta inparè dala nôna Argía. La gèva che, anc s'l'é chèren cunsidrè da pôc, bâsta savairla métter pulîd in ôvra e ai pôl saltèr fôra un bån magnarén. Acsé la fèva ste rîŝ che par mé l êra una delézzia.

Fè bójjer al bâc' int l'âcua salè insàmm ai pundôr tajè a fatt, sàr-rel e pistinèga intîr. Quand al bâc' al srà bèle côt a l capirî dal fât che al srà fâzil dspichèr la pèl. Tirèl fôra, cavèi tótta la pèl e tajèl a pzu-lén in vatta ala pistadûra, pò turnèl a métter dänter int al sô brôd. Apanna l ha livè al bói un'ètra vôlta, mitî dänter al rîŝ e lasèl cûŝer par zîrca vént-ventzénc minûd secånnd i gósst. Sarvî in tèvla con una sfurmajè.

Rice with Lung

Riso col polmone

Serves 4-5 people:
250 grams of rice
300 grams of veal lung
one celery stalk
2 ripe tomatoes
2 carrots

Beef lung was also a poor man's man beast; it was cheap, and families usually only gave it to their cats. However, when during the war there weren't two coins to rub together, my mother used it to flavour rice with a recipe learned from Grandma Argia. She said that even if it is a meat held in low esteem, it was enough to know how to work it and it could come out as a great dish. So she made this rice that was, for me, a delight.

Boil the lung in salted water with the tomatoes sliced in wedges and with the celery and carrots still whole, which will break apart by themselves. You will know the lung is cooked when the skin comes off easily. Take it out, remove the skin, cut the lung into pieces and put them back in the broth. Return the broth to a boil, put the rice in and leave to cook for 20-25 minutes, to taste. Serve at the table, sprinkled with Parmigiano.

Sóppa coi zanpétt ed galéǹna

Dôŝ par zénc o sî:
dågg' (o pió) zanpétt ed galéǹna
un tårrel d ôv, o anc dû
mèż étto ed butîr
mèża zivålla
una cûsta ed sàrrel, una pistinèga
sèl e pàvver
pan vèc'

La sgnèra Nóccia dla Malvaŝî l'avèva sänper pôca municâja par-
ché l'êra vaddva e la lavurèva a åur. Quand la vlèva fèr da vàdder d
avair dl'abundanza, la rinpèva la spôrta con dla chèrta par mustrèrla
bèla infiè. Pò l'andèva dal pchèr a cunprèr di zanpétt ed galéǹna ch'i
custèven una canta, la i fèva spuntèr fôra in môd che tótt i i vdéssen e
i pinséssen ch'l'avéss cunprè galén e capón. Invêzi ai êra såul i zanpétt
mo chi la vdèva pasèr, al gèva *"Sócc'mel, guèrda mò la Nóccia, ch'l'-
ha méss insàmm di góbbi!"*. E lî l'êra cuntänta. I puvrétt ch'i adruvè-
ven sta sculatta i êren dimónndi mo... i zanpétt duv andèvni pò a finîr?
S fichèvni vî? An i é dóbbi! Con un pô d butîr e un ôv as psèva fèr una
sóppa prôpi al ŝbéffi. Anc s'an i é pió cla plómma d una vôlta, a prénn
pruvèr anc incû parché i zanpétt i han un amåur dimónndi fén ch'al
pièŝ a tótt. E cómm a chi ténp (fôrsi) i cåssten pôc.
     Tajè eli ónng' ai zanpétt, lavèi pulîd e strinèi con la fiâma fén
ch'an riusî a plèri. Tridè insàmm la zivålla, la pistinèga, al sàrrel e
mitîi a fèr un sufrétt col butîr fén ch'i n han ciapè una bèla induradû-
ra. Ażuntèi i zanpétt, ajustè ed sèl e pàvver cruvànd incôsa con
socuànt misclén d âcua. Fè cûŝer pr una ciôpa d åur o anc de pió: la
cotûra la srà in påns quand i zanpétt i se dsfan. Cavèi dala pgnâta con
una raméǹna, bucè vî tótt i usdén e pasèi con un ŝdâz. Turnè a méttr
incôsa insàmm, ażuntandi un tårrel o dû e al pan vèc' tajè a pzulén.
S'a vlî rispetèr la môda dal dé d incû, invêzi dal pan vèc' a i psî mét-
ter di grustén. Sarvî la sóppa bèla chèlda spargujandi in vatta un pô d
fåurma gratè.

64

Chicken Feet Soup

Zuppa di zampe di gallina

Serves 5-6 people:
12 (or more) chicken feet
one or two egg yolks
50 grams of butter
half an onion
one celery stalk, one carrot
salt and pepper
stale bread

Mrs. Anna of Malvasia Street always had very little money as she was a widow and she worked by the hour. When she wanted to seem well-off, she would stuff her shopping bag with paper to make it look full. Then at the butchers, she would buy chicken feet which cost very little, but she made them stick out in such a way that everyone would think she had bought full hens and capons. They were just a bunch of feet, but whoever passed by would say, "Oh my, look, Anna is making money!" And it made her happy. There were a lot of poor people who used this strategy but… what happened to the feet in the end? Did they throw them? Absolutely not. With a bit of butter and an egg, you could make a super tasty soup.

Cut the toes off the shanks, wash them well and put them on the flame until they lightly sear. Mince together the onion, carrot and celery and put to fry in the butter in a large pot until they are golden. Add the shanks, salt and pepper and then cover everything in water. Let it cook for a couple hours or more; it's ready when the meat falls off the bones. Take them out, throw away the bones and pass the soup through a sieve. Put everything together, adding one or two egg yolks and the dried bread cut into pieces. If you want to do it the modern way, instead of stale bread you can use croutons. Serve the soup very hot with Parmigiano sprinkled on top.

Sóppa di ànżel

Dôś par sî:
un étto e vént grâm ed mulänna d pan
mèż étto ed parsótt col grâs
tränta grâm ed fåurma gratè
tränta grâm d anbrålla ed bå
utanta grâm ed faréńna
dû tórrel e una cèra d ôv
l'insaggna dla nûś muschèta
brôd bån

Inmujè la mulänna col brôd chèld, sänza insupîrla, pò strichèla pulîd int un burâz. Tridè al parsótt dimónndi fén. Scuizè l'anbrålla e armiśdèla fén ch'la n é dvintè quèśi una cramma. Mitî incôsa int una taréńna insàmm ala fåurma e ażuntèi anc i dû tórrel, la cèra e una gratadéńna ed nûś muschèta.

Dstindî la faréńna in vatta al tulîr e arbaltèi såura al cunpôst. Armiśdè pulîd e, con cla pâsta, furmè del pulptéńni mulśéńni grandi cme un'ânma ed mugnèga. Quand avî fât tótti el pulptéńni, fichèi int al brôd bujänt. Lasèi bójjer par dîś minûd e purtè in tèvla.

Quand da ragazlàtt a ciapèva l'influänza e l'um vdèva un pô śbaśè, la nôna Argía la m dèva da magnèr sta sóppa digàndum: "Tû mò puvrén, tîret só che con quassta t fè dla canóccia!".

Angel Soup

Zuppa degli angeli

Serves 6 people:
120 grams of the soft inside part of bread
50 grams of prosciutto with the fat
30 grams of grated Parmigiano
30 grams of ox marrow
80 grams of flour
two egg yolks and one egg white
a pinch of nutmeg
beef broth

Wet the bread with the hot broth, then squish it dry in a dish towel. Mince the prosciutto finely. Squash the marrow and mix it well until it becomes like a cream. Put it in a bowl with the prosciutto, the bread, the Parmigiano, two egg yolks, the egg white and a pinch of nutmeg and mix together.

Put the flour on a pastry board and then put the egg-marrow mixture on top. Mix it all together, and with the dough, form big balls the size of apricot seeds. When the balls are ready, throw them in the boiling broth. Let them boil for ten minutes and take them to the table.

When as a boy, I got sick with the flu and was a bit weak. Grandma Argia gave me this soup, telling me, "Take it, poor boy, pull yourself up so this soup can give you strength!".

Second Courses

Pulastrén ala cazadåura

Dôŝ par sî:
un pulâster da zîrca un chíllo
quâter pundôr madûr
un scalfàtt ed vén bianc
uŝmarén e trî spîguel d âi
dû cucèr ed grâs ed ninén
un cucèr ed faréńna
sèl e påvver

Spzè al pulâster a pzulétt e cunzèl con sèl, påvver, uŝmarén e âi tridé insàmm, lasànd acsé la chèren socuanti åur o anc tótta la nòt, par môd ch'la ciâpa un bån amåur.

Fè dsfèr al grâs ed ninén int na cazarôla e bucèi dänter i pîz dal pulâster, arvultandi spass fén ch'i n han ciapè la rôŝa. Cavè dala cazarôla zîrca 3/4 d ónt e andè d lóng a cûŝer azuntànd al scalfàtt ed vén fén ch'an séppa ŝvapurè.

A ste pónt a psî ażuntèr i pundôr sänza góssa e, da una banda, dstinprèr la faréńna in un briŝlén ed bagnôl pr an fèrla abaluchèr, ażuntandla pò al tucén par fèrel dvintèr manc ŝbagnulåuŝ. Lasè cûŝer adèŝi pr un'åura o un'åura e mèż (dipànnd dal pulâster), mitànd in påns al sèl e al påvver.

Se, cuŝàndes, l avéss d'asughèrs trôp, a psî ŝlunghèr al tócc' con un pôc ed brôd.

Hunter-style Chicken

Pollo alla cacciatora

Serves 6 people:
a whole chicken, around 1 kg
4 ripe tomatoes
a bottle of wine
rosemary and 3 cloves of garlic
2 spoonfuls of lard
1 spoonful of flour
salt and pepper

Split the chicken into pieces and season with rosemary, minced garlic, salt and pepper, then leave the meat to rest for a few hours or overnight so the flavours really sink in.

Melt the lard in a saucepan, then fry the chicken in it until it is well browned. Take out about ¾ of the pan drippings, add the bottle of wine, and continue cooking while the wine evaporates off.

At this point, you can add the freshly peeled tomatoes (or peeled tomatoes from a can) and, to the side, add flour to a bit of the pan drippings to avoid it clumping together, then add that mixture to the saucepan to thicken the sauce. Leave to cook on low for 60-90 minutes (depending on the size of the chicken and the amount of meat it has), adding salt and pepper, to taste.

If, while cooking, the sauce evaporates off too much, you can increase the amount with a bit of broth.

Cutulàtt ala bulgnaiŝa

Dôŝ par sî:
sî cutulàtt ed vidèl
un ôv ŝbató
fatt ed parsótt crûd
fåurma sänza arsprèmi
tartóffla bianca in ftléńni
sèl e påvver
pan gratè

Batî pulîd el cutulàtt ch'el sran pò da pasèr sóbbit int al pan gratè. Stè in s qualla e fè in manîra che al pan al s atâca a tótta la chèren. Avî pò da bucèr el fatt ed chèren dänter al ôv ŝbató salè e inpevrè e, dåpp ch'a li arî tirè só, pasèli un'ètra vôlta int al pan gratè pr una bèla inburaciadûra.

Adès, el fatt acsé cunzè, eli én da fréżżer int al grâs ed ninén fén ch'i n han ciapè una bèla duradûra.

Dåpp frétti, mitîli int una tajja ónta, spargujè in vatta un bèl póggn ed fåurma, una fatta ed parsótt pr ògni cutulatta e un'ètra infurmajè sänza arsprèmi. Par finîr, al cheplavåur: una sumnè ed ftléńni ed tartóffla såura da incôsa.

Insfilzè la tajja quèrta int al fåuren, fén che la fåurma la n s é dsfâta, e sarvî el cutulàtt chèldi col cuntåuren preferé. Mo, con ste piât, ed sôlit inción fà chès al cuntåuren parché l amåur del cutulàtt al fà pluchèr i bâfi anc a quî ch'i én sänza, e an i é biŝåggn d èter.

Bolognese Cutlet

Cotolette alla bolognese

Serves 6 people:
6 veal cutlets
one beaten egg
sliced prosciutto crudo
a lot of Parmigiano Reggiano
white truffles, sliced
salt and pepper
breadcrumbs

Beat the cutlets and bread them in the breadcrumbs. Make sure the bread attaches to the meat in a uniform manner. Dip the cutlets in the beaten egg, seasoned with salt and pepper, then pass the cutlets again in the breadcrumbs to have a consistent breading.

The cutlets are now ready to be fried in the lard until they have a nice browned color.

After frying them, put them in a greased baking pan, sprinkle them with Parmigiano, cover them with a slice of prosciutto and then another generous sprinkling of Parmigiano. Then, the finishing touch: a sprinkling of sliced truffles on top of everything.

Put the covered pan in the oven and bake until the cheese is melted and serve the cutlets hot with whatever side dish you prefer. However, with this plate, there is no need for a side dish because the cutlet's flavour will make you lick your whiskers (even if you don't have any) all by itself.

Scalupéńni ed cà mî

Dôś par quâter:
sî étto ed lånnża ed ninén tajè a fatt
butîr da crûver al fånnd dla padèla
una tâza ed brôd, méi s'l é bån
dû cucèr ed faréńna
marsâla sacc
prasôl tridè
sèl e pàvver

Avî da bâter el ftléńni ed lånnża par fèrli dvintèr sutîli e tanndri. Mitî al butîr int la padèla a fûg bâs e, apanna l é drî a dsfères, fichèi dänter anc el ftléńni.

Dåpp zîrca un quèrt d åura, quand la chèren l'arà asurbé quèśi tótt al butîr, mantgnîla mójja mitandi al brôd pôc ala vôlta con un cucèr. Salè, inpevrè e ażuntèi la faréńna armiśdånd adèśi par môd che al sûg al s infiséssa.

Quand al bagnulén al srà féss, dèi una spisajè ed marsâla e dåpp pôc, sóbbit prémma ed cavèrli dala padèla, spargujèi in vatta al prasôl.

Dimónndi i dîśen che la lånnża ed ninén l'é una chèren adâta såul par la gradèla o pr al pén di turtlén, mo mî mèder la la cuśèva in sta manîra e tótt i s pluchèven i bâfi. Ai fó una vôlta che mî zién Frêdo al véns apôsta par magnèr stel scalupéńni mo a un zêrt pónt la mamà la s adé d èser sänza marsâla. L'êra dmanndga e al zío al travarsé tótta Bulaggna in biziclatta pr andèr a cunprèrla, parché al vlèva sénter al sô amåur uriginèl.

Scaloppine from my House

Scaloppine di casa mia

Serves 4 people:
600 grams of pork loins
enough butter to cover the pan
a bit of broth, preferably beef broth
two spoons of flour
dry marsala wine
minced parsley
salt and pepper

Beat the pork loins to tenderize them. Put the butter in the pan over a low flame and, while it's still melting, add the pork loins.

After about a quarter of an hour, once the meat has absorbed almost all of the butter, keep adding broth a ladle at a time so that the meat remains submerged in the pan. Add salt, pepper and the flour, mixing gently while the sauce thickens.

Once it is thickened, add a splash of marsala, and then right before taking the fillets out of the pan, sprinkle on the parsley.

Many people say that pork loin is a meat well suited for grilling or for stuffing tortellini, but my mom cooked it like that and everyone would lick their chops. In the past, my Uncle Alfredo used to come just to eat this scaloppine. Once, my mother ran out of marsala; it was a Sunday, and my uncle rode all the way across Bologna on his bicycle to buy some, because he wanted that great flavour.

Paparóccia o Ciribûŝla, o Maricónnda

Dôŝ par sî:
mèż chíllo ed faréńna żâla
un lîtr e un quèrt ed brôd ed faŝû (rizèta p. 32)
un quartén d âcua
faŝû alàss, intîr
sèl

Preparè al brôd ed faŝû col sô sufrétt nurmèl ed panzatta o lèrd, prasôl e âi. Mitî a bójjer al brôd ed faŝû ŝlunghè con l'âcua int una caldaréńna ed râm o int una pgnâta. Quand la lîva al bói ażuntèi adèŝi la faréńna żâla, un póggn ala vôlta, sänza mâi dŝmétter d armiŝdèr par môd ch'la n s abalôca. Dåpp mèz'åura ażuntèi i faŝû intîr.

Biŝåggna armiŝdèr con un matarlàtt durànt tótt al tänp ed cutûra, par quaranta minûd bón. Quand a vdî che sta pulänt ciamè "Paparóccia" la se dspécca dala caldaréńna, vôl dîr ch'l'é côta.

Mé a la mâgn tótt i ân fâta dala sgnèra Żanén, ch'l'é una gran spezialéssta. L'é bôna magnè sia chèlda che fradda, opûr a fatt arusté in gradèla o frétti.

S'a vléssi dmandèr a un dutåur se quasst l é un magnèr alżîr, dèm mänt a mé: dmandèjel dåpp ch'al avî bèle magnè.

Papparuccia

Serves 6 people:
500 grams of cornmeal
1.25 litres of bean broth (recipe, p. 33)
a quarter of a litre of water
boiled, whole beans
salt

Prepare the broth with the normal soffritto (equal parts carrots, onion and celery), pancetta or lard, parsley and garlic. Let it boil, thinning it with the extra water, in a small pot (preferably a copper pot). When it begins to boil, slowly add the cornmeal, bit by bit without ceasing to stir to avoid it getting clumpy. After half an hour, add the beans.

It is necessary to mix incessantly for about 40 minutes. When the "Papparuccia" starts to boil over, it is cooked.

I eat this dish every year, prepared by Mrs. Zannini who is a specialist in this dish. It can be served hot or cold; once cold and solidified, it can be made into patties and grilled or fried.

If you want to ask a doctor about the healthiness of this dish, follow my advice: ask the doctor after you have already eaten it.

Alàss

Dôś par sî:
un chíllo e mèż d armiśdanza ed chèren d manż (pónta ed pèt, dupiån, arfàss, län-gua, tstéṅna ed vidèl, tajulén, copertéṅna, ôs con l'anbrålla e la gåmma, såttspâla e quall ch'pièś, secånnd i gósst)
mèża galéṅna o capån d'aldamèra
dåu zivåll intîri
sàrrel e pistinèga
una ciôpa ed gråsst ed fåurma
sèl gròs

Mitî só al fûg una bèla pgnâta d âcua salè, con zivålla, sàrrel, pistinèga e gråsst. Quand la tâca a bójjer, bucèi dänter tótta la chèren, e, quand la turnarà a livèr al bói, abasè la fiâma in môd tèl ch'ai bójja incôsa adèśi.

Ed quand in quand, con una raméṅna, cavè la stiómma ch'ai vén a gâla. Lasè ch'la bójja quâtr åur o pió, e, par cuntrulèr s'l'é côta, guardè che la chèren la se dspécca dal ôs fazilmänt.

Se invêzi a vléssi curèr de pió al brôd, alåura biśåggna fichèr la chèren sóbbit int la pgnâta con l'âcua fradda salè e méttr incôsa insàmm in vatta al fûg.

L ha da èser sarvé bujänt e l é un magnarén ch'al fà andèr int i balílla i bulgnîś. Una fèsta sänza alàss, la n pèr brîśa fèsta. Al s pôl acunpagnèr con una bôna sèlsa: vairda fradda a bèś ed prasû (rizèta p. 80), o żâla chèlda a bèś ed pevrón. O tótti dåu, as capéss!

78

Bollito

Serves 6 people:
1.5 kg of mixed beef cuts (brisket, short ribs, tongue, cheek, hind quarters, shoulder, marrow bones, chuck beef, and whatever you like)
half a free range chicken or capon
2 whole onions
celery and carrots
a pair of Parmigiano rinds
large-grain salt

Put a good sized pot with salted water on the fire and add the onion, celery, carrot and cheese rinds. When it begins to boil, throw in the meat; when it begins to boil again, lower the flame and let it slowly simmer.

Every so often, with a skimming spoon, remove the foam that rises to the surface. Let it boil for 4 hours or longer; to make sure it is ready, check that the meat easily comes off the bone.

If you want the best broth, you need to place the meat at the very beginning when the water is still cold and then bring it all to a boil together.

This dish, which should be served hot, makes the Bolognese very greedy and gluttonous. A party without bollito doesn't seem to really be a party. This dish can be accompanied by a green sauce from a parsley base (recipe on p. 81).

Bolognese text

Sèlsa vairda da alàss

Dôŝ par sî:
un étto ed prasû, såul la fójja (anc de pió, s'i pièŝen)
utanta-zänt grâm ed tån in scâtla dŝguzlè
dû o trî filétt d inciåvva salè
una scuciarè abundanta ed câper
mèża zivålla cinatta
un spîguel d âi, o dû s'i pièŝen
ôli bån
aŝà
sèl e påvver

Såura una pistadûra, con un curtèl paiŝ da cuŝéṅna o la mèża
lóṅna, avî da bâter con pazénzia incôsa (sänza l ôli) fén ch'an i é vgnó
una bèla papéṅna unifåurma.

Quand st'armiŝdanza la srà dvintè féṅna, mitîla int una tâza
ażuntandi l ôli pôc ala vôlta, l'aŝà, al sèl e al påvver, prilànd sänper
con un cucèr in môd ch'as armésstia incôsa pulîd. Ogni tant l é méi
fèr un asâg', fén ch'an s arîva al amåur preferé.

Pr utgnîr la sèlsa miåura, l ideèl al srêv preparèrla al dé prémma
d adruvèrla.

Mitîla pûr såura a tótt i tîp ed chèren dl alàss, mo in cà da mé i han
sänper détt ch'la n é mâi da adruvèr quand as plócca un ôs con la
gåmma e l'anbrålla.

Green Sauce for Bollito

Salsa verde per bollito

Serves 6 people:
100 grams of parsley (or more, if you like), only the leaves
80-100 grams of canned tuna, drained
2-3 of salted anchovies
a large spoonful of capers
half of a large onion
one clove of garlic, or two if you like
extra virgin olive oil
vinegar
salt and pepper

On a cutting board with a heavy chopping knife or a with a mezzaluna, finely chop all of the ingredients (except the olive oil) until you have a finely minced mixture.

When the mixture has become a fine paste, put it in a bowl and slowly add the olive oil, vinegar, salt and pepper, continuously stirring with a spoon. It is a good idea to try it every once in a while, until it tastes just right.

For the best result, it would be ideal to prepare the sauce the day before you plan to use it.

Put on any kind of boiled meat, but in my house they always said to never use it on marrow bones.

Curadèla d agnèl

Dôŝ par sî:
sèt étto, cunpraiŝ al fégghet, ed curadèla d agnèl
mèż étto ed lèrd bató int la pistadûra
mèż étto ed butîr
cunsêrva ed pundôr a piaŝair
sèl e pàvver
dû spîguel d âi intîr, par chi i pièŝ
un ramadén ed mänta salvâdga, par chi i pièŝ

Tajè tótta la curadèla, cunpraiŝ al fégghet, a ftléṅni e pzulén brîŝa tant grand. Bucèi int na padèla col lèrd, l âi, la mänta, e fè cûŝer a fûg né èlt né bâs. Quand incôsa arà ciapè culåur tant da èser quèŝi côt, cavè un mumänt la padèla dal fûg, fè sculèr vî l ónt dal lèrd e al sô sît mitîi al butîr. Fè cûŝer èter zénc-dîŝ minûd, salè, inpevrè e ażuntèi la cunsêrva o al pundôr pasè, dimónndi o pôc secånnd ch'al v pièŝa pió o manc råss. Fè artirèr un pôc la cunsêrva e ste magnén al srà in åurden.

La mèder dal mî amîg Caméll, la nôna Îda, l'êra una canpiunassa a fèr la curadèla e una vôlta arivénn da lî dåpp avair fât una magnè da santufézzi. L'êra drî a cavèr da in vatta ala stû la padèla dla curadèla bèle côta e la vôls ufrîrsen. Nuèter ai êren pén e, par fèri pieŝair, a i génn: "Såul una scuciarè, giósst par l asâg'!". Dåpp mèż'åura ai manchèva dû chíllo ed pan, dåu butélli e la padèla l'êra sótta brassca. Cum la fó cuntänta l'Îda!

Lamb Offal

Coratella d'agnello

Serves 6 people:
700 grams of lamb offal (organ meats), including the liver
50 grams of whipped lard
50 grams of butter
Tomato sauce or concentrate, as you wish
salt and pepper
two garlic cloves, if you like
a sprig of wild mint, if you like

Cut the organ meats, including the liver, into small pieces. Put them in a pan with the lard, garlic, and mint and cook them over medium heat. When it looks nearly cooked, take the pan off the fire, drain the lard drippings and replace them with the butter. Let it all cook for another five to ten minutes with salt and pepper and add the tomato sauce, depending on how red you want your dish. Let the sauce reduce just a bit, and this dish is ready.

The mother of my friend Carlo Trucca (who we called Camillo) was called Grandma Ida, and she was a champion at preparing coratella. One time, we arrived at her house after eating a ton of food. She was clearing the stove, which had a pan of already prepared coratella and she offered it to us. We were more than satisfied, but to be polite, we said, "Just a spoonful to taste!" After a half an hour, two kilos of bread and two bottles of wine, the pan was completely clean. Grandma Ida was so happy!

Friżån

Dôṡ par sî:
ôt zivåll grandôti
un chíllo ed pundôr fréssc o plè
sî cucèr d ôli d ulîva bån o grâs ed ninén
sèl
aṡà

Sfitlè el zivåll brîsa trôp in fén e fèi ciapèr la rôṡa int l ôli o int al grâs ed ninén, pió adèṡi ch'as pôl e armiṡdànd spass, in una tajja lèrga (méi s'l'é ed teracôta).

Dåpp zîrca un'åura, quand la srà dvintè bèla biånnda mo brîsa strinè, ażuntèi al pundôr e andè inànz a cûṡer, sänpr a fûg bâs, pr almànc un'ètr'åura o anc de pió se al friżån al v pièṡ féss. Insàmm al pundôr as pôl anc métter di pzulétt d alàss avanzé o del ftléńni ed parsótt tajè grôsi, mo in ste chèṡ al dvänta un friżån un pô inbastardé.

Al mumänt ed sarvîr, par chi i pièṡ, al s pôl cunzèr con una spisajadéńna d aṡà.

Quand ai êra sfulè ala Lunghèra dal 1943-45, l'arżdåura, int al sarvîrel, la gèva sänper sta filastrôca: "Mâgna mâgna al mî friżån / però ai vôl na tîra ed pan / mo savéssi cum l é bån…".

Friggione

Serves 6 people:
8 medium-to-large onions
1 kg of fresh tomatoes, or canned and peeled
6 spoons of olive oil or lard
salt
vinegar

Chop the onion not too finely and let it fry in the oil or lard, slowly and while mixing often in a large pan (terracotta is best).

After about an hour, once they are well fried but not burned, add the tomato and continue to cook the mixture, always on a low flame for at least another hour or more if you like a denser friggione. Together with the tomatoes you can add stew meat or chunks of prosciutto cut thickly, but it isn't called for by the traditional recipe.

When serving, you can garnish with a bit of vinegar, if you like.

When I was in hiding in Longara from 1943-1945, the lady of the house, while serving, would always recite this rhyme: "Mangia mangia il mio friggione/ però ci vuole una fila di pagnotte/ ma sapeste quanto è buono..." (Eat up my friggione- but you'll need a loaf of bread- then you'll know how good it is...)

Spuntadûr in ómmid

Dôṡ par sî:
un chíllo e mèż ed spuntadûr ed ninén
quâtr étto ed pundôr plè e tajè a trucadén
un scalfàtt ed vén bianc grôs
quâter spîguel d âi, uṡmarén, sèl e påvver

Se, cm al dîṡ al pruvêrbi, l é méi pluchèr un ôs che un bastån, fôrsi
l ôs miåur par fèr una prôva l é quall d una spuntadûra.

Fèv tajèr dal pchèr el spuntadûr a pzulétt lóng quâter-zénc dîda.
Pistè insàmm, piotôst in fén, uṡmarén e âi, ażuntèi al sèl e al påvver e
con ste cunpôst cunzè el spuntadûr sfargandi pulîd. Quand el sran bän
cunzè lasèi acsé brîṡa manc ed dåu åur, o anc dala sîra prémma par
môd ch'el s insavuréssen.

Mitî el spuntadûr cunzè só al fûg int na padèla lèrga o int una tajja
ed teracôta, spisajandi in vatta al vén. Andè inànz a cûṡer a fûg bâs
prilandi ed quand in quand: quand al vén al srà ṡvapurè ai bastarà al
grâs ch'l'arà fât la chèren.

Dåpp zîrca un'åura, ażuntèi al pundôr fagànd cûṡer sänpr adèṡi pr
un'ètr'åura. Fè un asagén par sénter s'ai fóss biṡåggn d ajustèr ed sèl
e sarvîli chèldi con una bèla tîra ed pan frassc o con dla pulänt.

Pork Ribs Stew

Costole di maiale in umido

Serves 6 people:
1.5 kg of pork ribs
400 grams of peeled and chopped tomatoes
1 bottle of dry white wine
4 garlic cloves, rosemary, salt and pepper

If, as says an old proverb, it is better to lick a bone than a whipping cane, perhaps the best bone to try is a pork rib bone.

At the butchers, have them cut the ribs with meat on each side of the bone (double cut). Finely mince together the garlic and rosemary, adding the salt and pepper as you go. Then, season the ribs with this mixture, energetically rubbing it into the meat. When they are well seasoned, let them sit for at least 2 hours, or also overnight, to let them absorb the flavour.

Put the ribs on the fire in a large frying pan or in a terracotta pan, covering them in the wine. Cook them over a low flame, stirring every once in a while; when the wine has evaporated, the juices from the meat will be enough to finish cooking them.

After about an hour, add the tomato and let it cook for another hour. Try the sauce to adjust for salt and serve it hot with fresh bread or polenta.

Susézza e faśû

Dôś par sî:
sèt étto ed susézza frassca
dû étto ed faśû sécc o sî étto in curnaccia
un étto ed pundôr plè o pasè (pió o manc secånnd i gósst)
prasôl a piaśair
mèża zivålla e dû-trî spîguel d âi
un'insaggna d ôli

Fè cûśer i faśû fagandi bójjer e cavandi quand i én anc un pô indrî.
Fè un pistadén con la zivålla e l âi e fèi ciapèr la rôśa in apanna un
vail d ôli. Ażuntèi al pundôr e lasèl cûśer insàmm pr èter zénc minûd,
armiśdànd.

Mitî int al tegâm la susézza, sfuracè e tajè a pzulétt ed zîrca trai
dîda, lasandla cûśer par mèż'åura. Vudè anc i faśû col prasôl tridè e
andè inànz pr èter vént minûd bón.

Quassta l'é una piatanza ch'la fà una gran parè e và a finîr ch'as
mâgna un stracantån ed pan. Al mî amîg Bócc', che da cínno al cia-
mèven anc "Susézza", una vôlta l in fè fôra una tajja intîra, pò al cujé
anc tótt al tucén con la muläṅna dal pan.

Sausage Stew with Beans

Salsiccia in umido con fagioli

Serves 6 people:
700 grams of fresh sausage
200 grams of dry beans or 600 grams of fresh beans with the pods
100 grams of peeled tomatoes or tomato sauce (more or less, to taste)
parsley to taste
half an onion and 2-3 garlic cloves
a dash of oil

Boil the beans until they are al dente. Fry the onion and the garlic together in a bit of oil, add the tomato and let it cook together for another five minutes while mixing.

Add the sausage to the pan, pierced and cut into pieces about three finger widths long and let it cook for half an hour. Add the beans and the minced parsley to the pan, letting it cook for another 20 minutes.

This is a plate that "was made for bread" and invites you to use lots of it. My friend Bócc' (Ermanno Stagni), who since childhood also has had the nickname "Salsiccia" (Sausage), one time ate an entire pan, then sopped up all the sauce with a whole loaf of bread.

Figadétt con la ratèla

Dôs par sî:
sî-sèt étto ed fégghet d ninén
una ratèla d ninén
fói ed mlôr
un'ónngia ed butîr
sèl e påvver

Tajè al fégghet in strislénni lèrghi trai dîda e lónghi zîrca sî.
Arudlinèli fén a fèrli dvintèr una balténna e arvujèi intåuren la ratèla
cómm s'avéssi da inscartuzèrli. Mitî anc una fójja ed mlôr e farmè
incôsa con un stechén.

Fè dsfèr in padèla un brislén ed butîr e bucèi dänter i figadétt salè
e inpevrè. Lasè cûser a fûg alźîr par vént-tränta minûd in bès ala gru-
sazza di figadétt, prilandi ed quand in quand.

Sarvîi bujént, inmujandi col sô bagnulén ed cutûra.

Mî ziénna Ravenna la gèva che, coi figadétt, l ideèl l êra båvvri
drî dal vén dåulz o abuchè. I èter parént i n êren brîsa ed ste parair e
i sustgnèven ch'ai vlèva dla Barbêra. Chisà chi avèva rašån?

Wrapped Liver

Fegatelli con la rete

Serves 6 people:
600-700 grams of pork liver
pig's caul fat
bay leaves
a knob of butter
salt and pepper

Cut the liver into strips three finger widths wide and six finger widths long. Roll the pieces into a small ball and then wrap it in a piece of caul fat. Include a bay leaf, and then skewer the ball with a toothpick.

Season the fegatelli with salt and pepper, then fry them in a pan with the butter. Let them cook over a low flame, turning them over every once in a while, for about 20-30 minutes, depending on the size of the balls.

Serve them hot, covering them in the pan drippings.

My Aunt Ravenna said that, with fegatelli, the ideal is to drink a sweet wine or a dessert wine. The other relatives disagreed and believed they required a Barbera wine. Who knows who was right?

Fégghet con la zivålla

Dôś par sî:
sî étto ed fégghet ed ninén
una zivålla, dåu s'eli én cinatti
un pô ed prasôl tridè
butîr
sèl e påvver

Tajè al fégghet a ftlénni sutîli. Mitî al butîr a dsfères int una padè-
la, ażuntèi la zivålla sfitlè e al prasôl tridè. Quand al sufrétt al srà
dvintè biånnd (òcio d an strinèrel) ażuntèi el fatt ed féddig, sèl e påv-
ver.

Biśåggna che al fégghet al s cûśa in fûria. Siché dånca, da cal
mumänt al fûg l ha da èser sustgnó, parché biśåggna śmurzèrel dåpp
pûc minûd, sinchenå a magnarî dal fégghet dûr e cudråggn.

Quand la nôna Argia la purtèva in tèvla ste magnèr, sô fiôl (al zío
Nâto) al cuntèva sänper la sturièla ed cal sugèt che, dåpp avair cunprè
dla chèren, al gé al pchèr: "N avîv dal fégghet?". Al pchèr l arspundé:
"Sé, ch'a i n ho". E ló: "Alåura, s'avî dal fégghet, pruvè mò ed fèrum
paghèr!". Pò al scapé vî ed gran carîra e an s fé mâi pió vàdder.

92

Liver with Onion

Fegato con la cipolla

Serves 6 people:
600 grams of pork liver
one onion, 2 if small
a bit of minced parsley
butter
salt and pepper

Cut the fegato into thin fillets. Put the butter in a pan, adding the chopped onion and parsley. When the onion is browned (be careful not to burn it), add the liver fillets, salt and pepper.

The liver has to be cooked quickly. Therefore, turn the flame very high because it has to be turned off a few minutes later, otherwise you will be eating a hard and leathery fegato.

When Grandma Argia brought this dish to the table, her son (Uncle Arnaldo) would tell a little story which went like this. After having bought the meat, he said to the butcher, "Do you got the guts?" The butcher replied, "Yes, I have some." And my uncle replied, "Well then, try to make me pay for it!" Then he ran away and he didn't see him again.

Ôs dal can

Dôs par quâter:
un chíllo e duŝänt ed spuntadûr ed ninén
dû zanpétt ed ninén
una zivålla granda
quâter cûst ed sàrrel
dåu pistinèg
un dèd da brôd
sèl

An avèdi mégga pôra, al can an i äntra un azidóll! Sta rizèta la vén
dala fenomenèl Traturî dl Autotrêno int la Saccia, dóvv mé a sån andè
a magnèr fén da ragazlàtt e dóvv a vâg anc adès, quand a vói un
magnarén bulgnaiŝ stièt. In cuŝéṅna ai êra la Iolanda, adès ai é sô fiôla
Paola e ògni tant i fèven sta rôba deliziåuŝa che i avèven dezîŝ ed cia-
mèr "ôs dal can".

Prémma d incôsa i zanpétt i én da strinèr par cavèri al pail ch'ai
pôl èser avanzè, pò avî da cûŝri da par låur par trai åur abundanti. Mitî
a bójjer un'ètra pgnâta pénna d âcua con un pô ed sèl, zivålla, sàrrel
e pistinèg. Bucèi dänter el spuntadûr såul quand l'âcua la bói, mâi
prémma. Dåpp un'åura mitî int la pgnâta al dèd da brôd. Lasè bójjer
zîrca dåu åur in tótt, cavèli e mitîli in vatta a una fiamänga insàmm ai
zanpétt tajè a metè par la lónga. Spargujè un pô ed sèl grôs e una
maŝnè ed pàvver e purtè in tèvla sóbbit fén che la chèren l'é bujänta.

Par chi i pièŝ, a psî acunpagnèri con una sèlsa vairda fradda (rizè-
ta p. 80) o anc żàla e chèlda coi pevrón. Magaradío tótti e dåu!

Tótt i amîg ch'ai ho purtè a magnèr eli ôs dal can, in st mänter ch'i
i magnèven, pr al gósst i fèven di móttel ch'i parèven quèŝi di can in
amåur...

Dog Bones

Ossa del cane

Serves 4 people:
1.2 kg of pork ribs
2 pigs feet
1 large onion
4 celery stalks
2 carrots
1 stock cube
salt and pepper

Don't worry, there is no dog in this! This recipe comes from the phenomenal Trattoria Autotreno in Via della Secchia, which I have gone to since I was a boy, and I still go when I want a real Bolognese breakfast. In the kitchen, there was Iolanda, and now there is her daughter Paola. Every once in a while, they prepared this delicious dish which they had decided to jokingly christen "ossa del cane" (dog bones).

First, the pigs feet need to be seared to eliminate any skin residue, and then you have to cook them alone for three hours at least. Put to boil another pot full of water with a bit of salt, onion, celery and carrot. Throw the ribs in once the water begins to boil, not before. After an hour, add the stock cube. Leave to boil for another two hours, then place them on a serving dish with the pigs feet cut longways. Garnish with large grain salt and freshly ground pepper right before serving and take it to the table while the meat is still hot.

If you wish, you can accompany the meat with a cold green sauce (recipe on p. 81)

All the friends I have taken to eat "ossa del cane" at Autotreno have emitted yelps of pleasure when tasting them, almost like they were dogs in heaven...

Tréppa ala bulgnaiša

Dôs par sî:
un chillo e mèż ed tréppa con la scóffia
un étto e mèż ed panzatta frassca pistè
trî-quâtr étto ed pundôr plè e a pzulétt
una zivålla pistè e trî spîguel d âi
un bèl mâz ed prasû tridè
fåurma gratè, sänza arsprèmi
sèl e påvver

Lavè la tréppa dal dé d incû che, purtrôp, l'é bèle šbianchè e fèla bójjer par zîrca un'åura in âcua salè, pò tajèla in strislénni.

Fè sufréżżer zivålla e âi insàmm al pistadén ed panzatta, e, quand i arän ciapè la rôsa, ażuntèi la tréppa con al prasôl tridè finànd ed salèrla e inpevrèrla. S'l'avéss d'asughèrs trôp, mitîla a pôst con un misclôt ed bån brôd.

Dåpp un'åura ed cutûra a fûg dàbbel, ażuntèi al pundôr finànd ed cûšer par zîrca un'ètra mèż'åura.

Al mumänt ed sarvîr, a fûg šmurzè, bucèi dänter un stracantån ed fåurma armišdànd pulîd.

Bolognese Tripe

Trippa alla bolognese

Serves 6 people:
1.5 kg of tripe with the casing
150 grams of pancetta, freshly mashed
3-4 cans of peeled and diced tomatoes
one minced onion and 3 garlic cloves
one large bunch of minced parsley
an abundance of grated Parmigiano
salt and pepper

Wash the tripe, which nowadays is unfortunately already bleached. Bring to a boil for about an hour in salted water and then cut into strips.

Fry the onion and garlic with the pancetta and, when it is all browned, add the tripe with the parsley, salt and pepper. If it starts to dry out, add a ladleful of broth.

After an hour of cooking it over a low flame, add the tomato and let it cook for another half hour.

When it is time to serve and the flame is off, sprinkle an abundance of Parmigiano on top and mix it in well.

Bacalà in ómmid

Dôś par sî:
un chíllo e duśänt ed bacalà mói
mèż étto ed butîr e dû cucèr d ôli
pundôr plè a piaśair
mèża zivålla
dû spîguel d âi
un póggn ed prasôl tridè
faréńna

Ai ténp dla nôna o dla mamà, quasst l êra cunsidrè un magnèr da
puvrétt parché l êra da pôca spaiśa. Adès, invêzi, al cåssta quèśi al
dåppi dla lånnża ed ninén. Ch'al séppa mèrit dal prugrès?

Tajè al bacalà a pîz brîśa tant grand, cavèi la rassca e infarinèl
pulîd pasàndel anc dåu vôlt. Friżî al bacalà in butîr e ôli, arvultànd i
pîz, zénc minûd da una pèrt e zénc da cl'ètra.

Int una padèla, fè ciapèr la rôśa ala zivålla e al âi tridè. Ażuntè al
pundôr e fè cûśer pr un quèrt d åura.

A ste pónt mitî anc al prasôl e i pîz ed bacalà frétt, fagànd cûśer
un èter quèrt d åura. Girè i pîz ed bacalà col man dla fèsta, par môd
ch'i n s rånpen.

Anc in ste chèś, l acunpagnamänt al pôl èser al pan frassc o la
pulänt.

Cod Stew

Baccalà in umido

Serves 6 people:
1.2 kg of salted cod, soaked in water
50 grams of butter and two spoonfuls of oil
peeled tomatoes, to taste
half an onion
2 garlic cloves
a bit of minced parsley
flour

In my grandmother and mother's times, this was considered a poor man's dish because it was very cheap. Now, it costs almost twice as much as pork loin. Why did it merit such a change?

Cut the cod into small pieces, remove the bones and cover it well in flour twice. Fry it in the butter and oil, turning the pieces, five minutes per side.

In a pan, brown the onion and minced garlic. Add the tomato and let cook for 15 minutes.

At this point, put the parsley and the fried cod into the sauce, letting it all cook for another 15 minutes. Delicately turn the pieces, making sure not to break them apart.

Once again, you can accompany this dish with fresh bread or polenta.

Fritè con la zivålla

Dôṡ par sî:
sî ôv frasschi
sî zivulût fréssc
ôli d ulîva o grâs ed ninén
sèl e påvver
aṡà fôrta

La zivålla l'é sänper stè una regéṅna dla cuṡéṅna par chi ha dla plómma, mo anc pr i sgnåuri schitignûṡ ch'i n l'acâten mâi pèra. Int la fritè, pò, la dvänta una galantarî.

Tajè i zivulût (o la zivålla) in fén adruvànd anc una bôna pèrt ed ṡgarbâza. Mitî a sufréżżer adèṡi in un pô d ôli o int al grâs ed ninén, armiṡdànd spass pr an fèr strinèr.

D'ètra banda ṡbatî äli ôv, sia cèra che tårrel.

Quand tótta la zivålla l'arà ciapè la rôṡa, ażuntèla al ôv ṡbató armiṡdànd incôsa con sèl e påvver.

Ste cunpôst l é da fréżżer in padèla apanna ónta d ôli, zîrca zénc minûd da una pèrt e zénc da cl'ètra. Un cunséi. Al mumänt ed magnèrla, cunzèla con un spisajén d aṡà da tótti dåu el pèrt: l'é la sô môrt!

Frittata with Onions

Frittata alla cipolla

Serves 6 people:
6 fresh eggs
6 fresh small onions
olive oil or lard
salt and pepper
strong vinegar

The onion has always been the queen of the poor man's kitchen, but also for the rich, the picky and the hard to please eaters. In a frittata, it becomes a delight.

Finely cut the fresh onion, also using any green parts. Put it to fry on low in a bit of oil or lard, mixing often so it doesn't stick.

Separately, beat the eggs, yolks and egg whites together.

When the onion is well browned, add it to the eggs, mixing everything and seasoning with salt and pepper.

Then fry this mixture in an oiled pan, 5 minutes on one side and 5 on the other. A word of advice: when serving, garnish the frittata with a splash of vinegar on both sides: you'll die with happiness!

Anlénni ed zivålla

Dôś par quâter:
sî étto ed zivåll
quâter cucèr ed farénna
un ôv
prasôl
ôli e sèl

Plè el zivåll e tajèli par la travêrsa in môd tèl ch'ai véggna tanti anlénni. Lavèli pulîd såtta al rubinàtt, pò lasèli in dśgåzzel e asughèli con dla chèrta sugarénna. Preparè una pastèla con l ôv, una scuciarè d ôli, la farénna, al sèl e l'âcua necesèria par fèrla dvintèr tanndra e regolèr. Bucè eli anlénni däntr ala pastèla, in môd che quand ai cavè ai n avanza atâc un bèl pôc.

Mitîli a frézzer int l ôli bän bujänt, magâra brîśa tótti insàmm parché acsé el s frézzen méi. Quand la zivålla la srà indurè, fichè int la padèla un póggn ed prasôl intîr coi sû ramadén. Apanna al prasôl al dvänta sacc, cavè incôsa con la raménna pugiànd in vatta a dla chèrta sugarénna par cavèr l ónt. Salè e sarvî int un piât, méi s'l é chèld pr an fèrli arsurèr trôp in fûria.

An avèdi pôra che la zivålla la séppa trôpa: quand as tâca con steli anlénni, inción vrêv mâi dśmétter!

Onion Rings

Anelline di cipolla

Serves 4 people:
600 grams of onion
4 spoonfuls of flour
one egg
parsley
oil and salt

Peel the onion and then cut it sideways so that you have lots of rings. Rinse them well under the faucet, then dry them off with paper towels. Prepare the batter with the egg, a spoonful of oil, the flour, salt and water (as necessary); you want it to be soft and uniform. Throw the onion rings in the batter; when you remove them, they should be well covered in the batter.

Put them to fry in very hot oil, only a few at a time so that they fry better. When the onion is golden, throw a handful of whole parsley leaves into the pan. While the parsley is still relatively dry, take everything out of the pan using tongs and put the rings on paper towels to soak up the excess drippings. Season with salt and serve them on a plate, preferably a warm plate so they don't lose too much heat.

Don't be afraid that there will be too much onion; once you start eating these onion rings, you will never want to stop!

Ôv frétt

Dôś par fréżżer un ôv ala vôlta:
un ôv frassc
grâs ed ninén (al dé d incû, ôli)
sèl e påvver

La nôna Argia la gèva sänper che, par fèr pulîd, bisåggna fréżżer un ôv ala vôlta. Mo, sicómm ai vôl pôc tänp a cûśrel, anc se a tèvla as é in dimónndi as pôl cavèri i pî l istàss. Magaradío cuśànden dû ala vôlta.

Scuzè l ôv e mitîl int un piatlén sänza ch'al s rånpa, salèl e inpevrèl, pò fèl śguilèr pianén int una padèla preparè prémma con al grâs abundànt e bujänt. Con un cucèr ed laggn avî da ardûśer sóbbit al bianc vêrs al tårrel, in môd tèl ch'al le crûva quèśi dal tótt.

Quand l ôv l arà ciapè un bèl culursén pajén, cavèl con na raménna pèra, dśguzlèl e sarvî.

Fried Egg

Uovo fritto

One egg per serving:
a fresh egg
lard (today, oil)
salt and pepper

Grandma Argia believed that for the best result, you had to fry one egg at a time. However, since it doesn't take long to cook, and even if there are a lot of guests, you can still manage. If I have to, I cook two at a time.

Crack the egg and put it on a small plate without breaking the yolk. Salt and pepper it, then slide it onto a pan prepared with hot lard or oil. With a wooden spoon, immediately fold the egg white back over the yolk, nearly covering it completely.

When the egg is a nice yellow colour, take it out using a spatula, let the excess oil run off and then serve.

Ôv inbarièghi

Dôŝ... dipànnd dala fâm:
un ôv o pió a tèsta (dipànnd dala luvîŝia ed chi mâgna)
cunsêrva ed pundôr secånnd i gósst
mèż étto ed prasôl tridè con un spîguel d âi
un spîguel d âi (o dû par chi i pièŝ pió pzigänt)
dû cucèr ed lèrd tridè o d ôli d ulîva
sèl e pàvver

Quasst l é un èter magnèr da pôca spaiŝa, méss spass in tèvla par la magnâza del famai fén a zîrca al S-santa, adât par tafièr una tîra ed pan.

Avî da bójjer eli ôv, cómm s'a fóssen par Pâscua e a vléssi magnèrli dûri, pò avî da plèrli e métterli da una banda.

Tridè pulîd só la pistadûra al prasôl con l âi. Mitîl int una tajja insàmm ala cunsêrva, lèrd bató o ôli e fèl cûŝer adèŝi. Quand ste tucén al srà côt, salè e inpevrè incôsa. Pò tajè eli ôv dûri a rudléṅni o in spî-guel e mitîli dänter ala tajja dal tucén. Lasèli lé quèlc minûd a fûg dàbbel, par môd ch'el s inbarièghen ciapànd un bèl amurén e incôsa srà bèle in åurden par magnèr tuciandi al pan.

Drunk Eggs

Uova ubriache

Serves… depends on your appetite:
one egg per person (or more, depends on the gluttony of the guests)
tomato sauce to taste
50 grams of crushed parsley
one garlic clove (or two if you like the flavour)
2 spoonfuls of lard or olive oil
salt and pepper

The is one of the very cheap poor man's plates, frequently on the family menu during the fifties and sixties, perfect for eating with lots of bread.

You have to boil the eggs, like when one eats them hard-boiled for Easter, then dry them and set them aside.

Mince and mix together well the parsley and garlic. Put the mixture in a pan with the tomato sauce and oil or lard and cook it over low heat. When the sauce is cooked, add salt and pepper. Then cut the eggs in slices or wedges and put them in the sauce. Leave it for a couple minutes on low heat so that the little drunks soak up that flavour, and it is ready to eat sopped up with bread.

Cardétt al fåuren

Dôŝ par sî:
dû bî chèrd
s-santa grâm ed butîr
dû tórrel
una tarinéńna ed balsamèla (rizèta p. 26)
sèl e påvver

Cavè ai chèrd el ganb par d fôra, adruvànd qualli pió bôni e pió péńni. Tajè a fatt al gażôl e mitîl a mói in âcua e limån. Tajè el ganb ed chèrd a pzulétt ed zîrca quâter dîda e mitîli tótti insàmm ai gażû. Mitî a bójjer una pgnâta d âcua salè e fè cûŝer i pîz dal chèrd. Quand l é dvintè tànnder, cavèl dala pgnâta e ŝguzlèl pulîd.

Plè i pîz ed chèrd da tótt i fîl ch'i han ancåura, mitandi sänper in âcua e limån. Laŝèi sculèr dal'âcua, mitîi a żèżer in un tegâm con s-santa grâm ed butîr dsfât, ajustè ed sèl e påvver. Lasè cûŝer a fûg bâs par zîrca dîŝ minûd, pò vudèi in vatta la balsamèla e i dû tórrel ŝbató.

Par chi i pièŝ, in vatta a incôsa as i pôl métter un sulèr ed fåurma gratè. Del vôlt la mamà, invêzi dla fåurma, la i mitèva del ftléńni sutîli ed furmâi ed pîgra.

Mitî in fåuren pr èter dîŝ-quénng' minûd e sarvî.

Roasted Cardoons

Cardi al forno

Serves 6 people:
2 nice cardoons (artichoke thistles)
60 grams of butter
2 egg yolks
a small bowl of besciamella (recipe p. 27)
salt and pepper

Take off the leaves from the cardoon, keeping the thickest ones to the side. Slice the cardoon and put the pieces to soak in water and lemon. Cut the reserved leaves into small pieces and also put them to soak in the water. Boil a small pot of salted water and then add the cardoon pieces. When they are soft, take them out and let them dry.

Peel the fibres off the pieces and put them back into the lemon and water bowl. Strain them and place them in a pan with 60 grams of melted butter, then season with salt and pepper. Leave them to cook over medium heat for around 10 minutes, then pour in the besciamella and the two beaten egg yolks.

For who wants it, you can put grated grana cheese on top of everything. Sometimes my mother, instead of grana, put thin slices of pecorino cheese.

Place in the oven for another 10-15 minutes and serve.

Quadrétt lûv

Dôṡ: dipànnd da quant a sî a magnèr.
pan dûr, méi s'l é ed tîp tuscàn
parsótt sfitlè col sô grâs
mentâl ṡvézzer
tartóffla
lât
ôv ṡbató
pan gratè
grâs ed ninén par fréżżer

Tajè al pan a fatt (sutiléṅni, a m arcmànd), cavèi la gråssta e fè di
quadartén tótt prezîṡ ed zîrca trî-quâter zentémmeter. In vatta ala metè
di quadrétt avî da dstànnder una ftléṅna ed parsótt, una gratadéṅna ed
tartóffla e una ftléṅna ed mentâl granda cómm al pzulén ed pan.

Quand avî finé sta preparaziàn cruvî ògni quadràtt con etertànt
quadartén, cómm s'avéssi da fèr una pagnutéṅna grâvda cinéṅna. Par
môd ch'i n se dstâchen brîṡa, avî da strichèri fôrt, sinchenå a psî mét-
tri un mèż stechén par fèri stèr insàmm.

Quand i quadrétt i sran acsé cunpôst, inmujèi un pô con dal lât
fradd, asptè un âtum ch'al séppa asurbé, mitîi ón ala vôlta int l ôv
ṡbató e pasèi sóbbit int al pan gratè. Pò un'ètra vôlta int l ôv e int al
pan gratè par fèri vgnîr una bèla gråssta. Quand tótt i quadrétt i sran
in åurden, bucèi a fréżżer int al grâs bujänt e cavèi apanna i aràn ciapè
un bèl culåur d ôr.

Al segrêt ed sta rizèta al stà int al catuén: pió a in avî da spànnder
e pió la dvintarà bôna. Int al säns che s'a i mitî dimónndi tartóffla,
ch'l'é chèra a sangv, ai pôl saltèr fôra un magnarén che quand al s
métt in båcca al fà fèr di móttel pr al gósst.

Glutton Squares

Quadretti golosi

Servings depend on the number of guests:
hard bread, preferably Tuscan bread (no salt)
sliced prosciutto with the fat still on
Emmentaler cheese (Swiss cheese)
truffles
milk
beaten egg
breadcrumbs
lard for frying

Cut the bread into slices (I recommend thin slices), remove the crust and and cut them into uniform squares of around 3-4 centimetres. In the middle of each bread square, place a slice of prosciutto, some grated truffle and a slice of Emmentaler cheese about as large as the bread.

Once this is done, cover each bread square with another, forming small double-stuffed sandwiches. So they don't fall apart, you have to squeeze them together forcibly, or you can keep them together with a toothpick.

When the quadretti are put together, dip them quickly in the cold milk, waiting just a second for it to absorb. Dip them in the beaten egg and immediately in the breadcrumbs. Then, dip them again in the egg and breadcrumbs so there is a fine breading. When all the quadretti are ready, fry them in the hot lard and take them out when they have a nice golden colour.

The secret to this recipe is in your wallet: the more money spent, the better they will taste. For example, if you put a lot of truffle, which is wonderful, this will come out as a delicious dish that makes you squeal with delight.

Scarciôfel caśalén

Dôś par sî:
dîś scarciôfel ed grandazza normèl
tränta grâm ed butîr
un pugnadén ed prasôl tridè
ôli, sèl e påvver

I dîśen che i scarciôfel miûr i séppen i rumàn. A mé i um pièśen de pió quî nustràn ch'i han cal bèl culursén viôla. Mo dirôja una fótta?

Cavè ai scarciôfel el fói pió dûri ch'eli én par d fôra, tajè el pónt e i ganb. Lavèi lasandi un pô a mói in âcua e limån. Mitîi un pô avêrt e a cûl in bâs int una cazarôla col butîr, insàmm ala pèrt pió tanndra di ganb bèle plè. Cunzèi in vatta con una spisajè d ôli, con sèl e påvver, e cminzipiè a fèri cûser a fûg brîśa tant fôrt parché i séppen arîśg abrustlé, mitànd un quêrc' ch'al crûva la cazarôla.

Arvultèi col cûl in só, ażuntè un pôc d âcua lasànd cûser pr èter 15-20 minûd, pió o manc in bèś ala grandazza di scarciôfel.

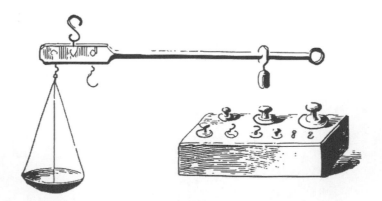

Mama's Artichokes

Carciofi casalinghi

Serves 6 people:
10 artichokes of normal size
30 grams of butter
a handful of minced parsley
oil, salt and pepper

They say that the best artichokes are the artichokes from Rome. I like ours which have a nice purple colour. Or am I just biased?

Take off the hard, outer leaves from the artichokes and cut off the ends and stems. Let them sit for a while in water and lemon. Place them in a pan standing up with a little space between them and with the butter, and to the side place the peeled stems that are relatively soft. Garnish them with a bit of oil and begin to cook them so that they are well seared.

Flip them so the tips are now face down, add a bit of water and let them cook for another 15-20 minutes, depending on the size of the artichokes.

Zévver in ómmid

Dôs par quâter:
quâter bî zévver
quâter pundôr madûr
un ramadén d uśmarén
una scudèla con dla faréṅna
ôli, sèl e pàvver
dû filétt d anciåvva salè

Antè i zévver, lavèi, asughèi e prilèi däntr ala faréṅna. Da un'ètra banda, mitî int na cazarôla un bèl pô d ôli e, quand al bói, mitî a fréżżer i zévver prémma da una pèrt e pò dal'ètra, arvultandi col man dala fèsta par môd ch'i n s rånpen.

Quand i aràn ciapè un bèl culursén indurè, cavè quèśi tótt l ôli e ażuntèi i pundôr tajè a pzulén e sänza la pèl, el dåu anciåvv tridè, al ramadén intîr d uśmarén, pò inpevrè. Se int la cotûra al pass al s asughéss trôp, ślunghè al tucén con socuànt cucèr d âcua.

Lasè cûśer acsé par zîrca mèżîåura, salè secånnd i gósst e sarvî un zàvver a tèsta con al sô tucén. In cà mî, sta rizèta, la s fèva spass int i dé ed viżégglia parché a chi ténp i zévver i êren a bån marchè. Ai ho al suspèt che al dé d incû al prêzi l èva avó una bèla carsmóggna, mo intinimôd quasst l é un magnarén guståuś ch'al fà dimónndi cunpanâdg. Siché dånca, arî da cunprèr anc un bèl pô ed pan.

114

Mullet Stew

Cefali in umido

Serves 4 people:
4 nice mullet fish
4 ripe tomatoes
a sprig of rosemary
a bowl of flour
oil, salt and pepper
2 fillets of salted anchovies

Clean the mullet, wash it, dry it and bread it in the flour. Seperately, put a good bit of oil in a pan; once it is hot, put the mullet to fry on one side and then the other, rotating them delicately to not break them.

When they are golden brown, remove nearly all of the oil and add the peeled, diced tomatoes, the two anchovies (minced), the sprig of rosemary and a bit of pepper. While cooking, the fish tends to dry out, so add spoonfuls of water to the sauce as necessary.

Let it cook for about half an hour, adding salt to taste and serve one mullet per person with its sauce on top. In my house, this recipe was made often during Christmas time because at that time of the year, mullet was well priced. I have a suspicion that today the price has gone up, but in any case this is a delicious food that "was made for bread." Therefore, you will have to buy a good bit of bread, too.

Anguélla in ómmid (o pass-gât)

Dôś par sî:
anguélla ed Cmâc' (dû-trî pîz a tèsta)
una zivålla e un spîguel d âi
un bèl póggn ed prasôl tridè fén
mèż chíllo ed pundôr plè
ôli d ulîva ed cal bån
sèl e påvver

Mî pèder, par dîr ch'l é al pass pió savuré ed tótt, l ha sänper sustgnó che l'anguélla l'é "al ninén dal mèr".

Lavè pulîd l'anguélla con âcua e aśà, tajèla a pîz ed zîrca quâter dîda, salèla, infarinèla e friżîla un pô int l ôli, arvultandla e cavandla quand l'ha ciapè la rôśa.

Int na tajja lèrga (méi s'l'é ed teracôta) mitî a sufréżżer in un pô d ôli e butîr la zivålla con âi e prasôl, incôśa bän tridè. Quand la zivålla l'é dvintè biånnda (sänza strinèrla!), ażuntèi al pundôr tajè a trucadén.

Lasè asughèr un pô e mitî anc i pîz d anguélla. Andè d lóng a cûśer a fûg bâs par zîrca un quèrt d åura, mitånd in påns al sèl e al påvver. Se al tucén al fóss trôp lóng, al s pôl fèr pió féss ażuntånd un pô ed farénna stinprè prémma int al pundôr. Adès a psî sarvîr, magaradío con una bèla pulänt.

Invêzi dl'anguélla as pôl adruvèr anc al pass-gât, ch'l é bån es al cåssta manc.

Eel or Catfish Stew

Anguilla in umido (o pescegatto)

Serves 6 people:
eel (2-3 pieces per person)
one onion and one garlic clove
a large handful of minced parsley
500 grams of peeled tomatoes
olive oil
salt and pepper

My dad, to say that this was the tastiest fish, would say that eel is "the pork of the sea."

Rinse the eel well with water and vinegar, cut it into pieces about four finger widths long, salt it, bread it in flour and fry it in a bit of oil, turning it and taking it out when it is well browned.

In a large pan (preferably made of terracotta) put to fry in a bit of oil and butter the onion, garlic and parsley, all well minced. When the onion is browned (but not burned!), add the chopped tomatoes.

Let it condense a bit and add the pieces of eel. Continue to cook it over low heat for about 15-20 minutes, adding salt and pepper. If the sauce becomes too liquidy, you can thicken it by adding a bit of flour to the sauce. You can serve, once it's ready, with a nice slice of polenta.

With the same process, instead of eel, you can use catfish, a very nice and less expensive substitute.

Sardón col tucén

Dôs par sî:
un chíllo ed sardón fréssc
trî-quâter pundôr madûr
fói ed baśalécc
ôli, sèl e påvver

Sta rizèta la s fèva dimónndi spass, parché l'êra da pôca spaiśa e con pûc sardunzén e una pagnôta as psèva rinpîr la butrîga.

Antè pulîd al pass e cavèi el tèst. Tulî un sardån ala vôlta e insfil-zèi int la panza una ftlénna ed pundôr, una fójja ed baśalécc, pôc sèl e påvver. Asrèi, mitîi in una tajja (méi s'l'é ed teracôta) con un pô d ôli. Quand arî cunpôst i péss, spargujèi in vatta al pundôr avanzè tajè a ftlénni, con un èter pôc ed sèl e påvver.

Lasèi cûśer a fûg fôrt pr un quèrt d åura, arvultandi a metè cutû-ra.

In sta manîra a psî cûśer anc di èter péss, cómm pr eśänpi di zév-ver, di marluzétt, del trôt, del tänc, etecêtera. Se i én péss pió grûs di sardón, bśugnarà avair al vàdder ed ślunghèr i ténp ed cutûra.

118

Sardine Stew

Sarde in umido

Serves 6 people:
1 kg of fresh sardines
3-4 ripe tomatoes
basil leaves
oil, salt and pepper

This was a common recipe because it was cheap, and with little fish and a loaf of bread it can satisfy you.

Thoroughly clean the fish and remove the heads. Slice open the sardines, one at a time, and stuff it with a slice of tomato, a basil leaf, a little salt and pepper, and then close it back up. Put them in a pot (preferably made of terracotta) and a bit of oil. When you have finished preparing the sardines, cover them in the remaining slices of tomato and a bit more salt and pepper.

Leave to cook on high heat for about 15 minutes, turning them at the halfway point.

You can cook other fish in this way, for example mullet, codlings, trout, tench, etc. If they are bigger fish than sardines, make sure to increase the cooking time.

Strecapóggn o Ciocapiât

Dôṡ:
strecapóggn da prè
panzatta dstaiṡa, salè e staṡune
aṡà bôna
un spîguel d âi a tèsta
påvver par chi i pièṡ

I radécc' cunzè con l ôli i én una maravajja, mo pruvè a cunzèri acsé, ala cuntadéṅna: i n én mégga pió trésst!

Andè a cójjer i strecapóggn int i prè d canpâgna o lóng i èrżen dla Bâsa, ala fén dl invêren o in prinzéppi dla premavaira quand i én cinén, ténnder e i én anc sänza fiåur. Se pò a n vlî brîṡa fèr la fadîga ed cóiri, cunprèi pûr dal frutarôl, mo i én un èter quèl. Antèi dal fói pió strasinè, lavèi e ṡguzlèi pulîd.

Tajè la panzatta a quadartén e mitîla int na padèla insàmm ai spîguel d âi tajè a metè só un fûg a mèża vî. La panzatta l'ha da cûṡres fén ch'la n ciâpa un bèl culursén d induradûra. Vêrs la fén dla cutûra, a fûg inpiè, cunzèla con del spisajè abundanti ed bôna aṡà e lasèla ṡvapurèr quèṡi dal tótt.

Cavè l âi e cunzè i radécc' con al tucén fât ed panzatta, al sô bagnulén dsfât e l amåur dl'aṡà. Par chi i pièṡ, ai pôl stèr una maṡnadéṅna ed påvver.

Wild Chicory

Radicchi di campo (tarassaco)

Servings depending on number of guests:
Dandelion greens (wild chicory)
slice of pancetta, salted and aged
strong red wine vinegar
one clove of garlic for every serving
pepper to taste

Radicchio cooked with oil is a marvel, but try to cook them like this, "countrystyle": they are just as good!

Gather the dandelion greens from country fields at the end of winter or the beginning of spring when they are small, soft and haven't flowered. If you don't want all the trouble of finding them, buy them from a fruit vendor, but they aren't the same. Remove the damaged leaves, then wash and dry them.

Cut the pancetta into cubes and put in a pan with the sliced garlic over medium heat. Cook them until they are a nice golden colour. When they are nearly done, with the heat still on, add a healthy pour of strong vinegar and let it evaporate.

Take out the garlic and and garnish the greens with this mixture of pancetta, melted fat and vinegar flavor. If you wish, you can add freshly ground pepper on top.

Ranûc' frétt o ala cazadåura

Dôs par sî:
un chíllo e mèż ed ranûc' antè
grâs ed ninén o ôli d ulîva
faréṅna
sèl e påvver

Pr al tucén:
zîrca mèż chíllo ed pundôr a pzulétt
un pistadén ed lèrd
uśmarén e âi tridè

Chi ômen i andèven drî ai fûs o ai fiumétt a ciapèr i ranûc' col fiu-
càtt o la lumîra a carbúrro. I turnèven a cà con un bèl sacàtt pén e par
cal dé la magnâza l'êra asicurè.

Ingrilè i zanpétt di ranûc', salèi un pôc e pasèi int la farénna. Lasèi
arpuśèr zîrca dîś minûd, pasèi int la faréṅna un'ètra vôlta e friżîi ed
batûda int al grâs o ôli bujänt.

S'i s vôlen magnèr frétt, cavèi apanna i én biundén e magnèi con
una spulvradéṅna ed sèl e påvver.

Se i s preferéssen ala cazadåura i han da fréżżer un pô de pió, e
biśåggna fèr ste tucén.

Mitî al pistadén dal lèrd, âi e uśmarén in padèla fagànd sufréżżer
fén che al lèrd an s é dsfât. Ażuntèi i ranûc' bî e frétt e al pundôr e
seguitè a cûśer fén che al bagnulén an é dvintè féss. S'ai é biśåggn,
ajustè ed sèl e påvver e sarvî.

Fried frog or Hunter-style

Rane fritte o alla cacciatora

Serves 6 people:
1.5 kg of cleaned frog
lard or olive oil
flour
salt and pepper

For the sauce:
around 500 grams of diced tomato
whipped lard
minced rosemary and garlic

In the past, the men often went into holes and creeks to fish for frogs with little pieces of cloth and gas lamps. They came home with a full bag to have for lunch.

Arrange the frogs with their legs crossed, salt them a bit and then dip them in the flour. Let them sit for about ten minutes, put them again in the flour and fry them immediately in lard or hot oil.

If you prefer them fried, take them out when the are golden and eat them with salt and pepper on top.

If you prefer them "hunter style" (in a stew) you have to fry them a bit more, and then prepare the following sauce.

Put the whipped lard, garlic and rosemary in a pan and fry until the lard melts. Add the frogs and the tomatoes and continue to cook them until the sauce is well reduced. If needed, add salt and pepper and serve.

Desserts

Sóppa inglaiša

Dôš par sî:
ôt tórrel d ôv frasschi
un lîter ed lât
mèż étto ed cacào amèr
dågg' cucèr cûlum ed zóccher
zénc cucèr rèš ed faréṅna
góssa d un mèż limån
savujèrd (o pan d spâgna)
alchèrmes e mandl'amèra o méssti par dûlz

Cramma żâla: mitî in un tegâm quâter tórrel, zénc cucèr ed zóccher, trî cucèr ed faréṅna. Armišdè con un cucèr ed laggn, fén a utgnîr una cramma unifåurma. Ażuntèi mèż lîter ed lât pôc ala vôlta, armišdànd ed cunténnuv. Bucèi la góssa ed limån, e mitî só al fûg a mèża vî, sänper armišdànd fén ch'an lîva al bói. Quand la tâca a bójjer, dšmurzè.

Cramma naigra: armišdè i tórrel, al zóccher e la faréṅna avanzè insàmm al cacào, ażuntànd al lât prezîš a cum avî fât con la cramma żâla. Mitî al fûg, fè livèr al bói e šmurzè.

Inspultè d armišdanza ed licuåur i savujèrd e, con quíssti, fudrè una taréṅna bâsa (méi s'l'é retangolèr). A ste pónt vudèi dänter prémma la cramma d un tîp, cruvandla ed savujèrd. Pò qualla d èter tîp, cminzipiànd dal żâl o dal naigher secånnd al vôster gósst. Prémma, però, tulî vî la góssa ed limån.

Lasè arsurèr e, al mumänt ed sarvîr, a psî guarnîr con i bilén "dla craišma".

Zuppa inglese

Serves 6 people:
8 fresh egg yolks
1 litre of milk
50 grams of bitter cocoa powder
12 large spoonfuls of sugar
5 spoonfuls of flour to the brim
rind from half a lemon
ladyfingers or sponge cake
alchèrmers liqueur and amaretto liqueur

The yellow cream: put in a pot 4 yolks, 5 spoonfuls of sugar and 3 spoonfuls of flour. Mix with a wooden spoon until you have a uniform cream. Add half a litre of milk, a little at a time, continuously mixing. Add the lemon rind and put on the stove at medium heat and continue to mix. When it begins to boil, turn off the flame.

The black cream: Mix the remaining egg yolks, sugar and flour together with the cocoa, adding the milk as with the previous cream. Put it on the fire without any rind and mix until it boils.

Dip the ladyfingers into the mixed liqueurs and use them to form a base layer (best in a rectangular baking dish). Cover them in one type of cream, then form another layer of cookies, then cover them in the other type of cream, starting with which ever you want. First, however, make sure you have taken out the lemon rind from the yellow cream.

Let it chill, and right before serving, you can garnish with multicolored sprinkles.

Tåurta ed rîs

Dôs par sî:
un lîtr ed lât
un étto ed rîs a grèna cénna
mèż étto ed zóccher vanigliè
dû étto e mèż ed zóccher
un étto e mèż ed màndel tridè
un étto e mèż ed zaider candé tridè
un étto e mèż d amarétt tridè fén
sî ôv frasschi
butîr e zóccher par la rôla
licuåur ed mandl'amèra

Par la tradiziån ptrugnèna, l é al dåulz ubligatôri quand int la parôchia as é int l Adôb. Mo sicómm sta fèsta la vén ògni dîs ân, al dé d incû, ch'ai é manca plómma d una vôlta, al s fà bän pió spass.

Mitî al rîs a bójjer int al lât par zîrca quénng' minûd. A fûg smurzè, ażuntèi i dû tîp ed zóccher e armiśdè par môd ch'al se dsfåga.

A pèrt, armistiè eli ôv col màndel, al zaider e i amarétt. Mitî incôsa insàmm al rîs dåulz bèle arsurè, armiśdè pulîd e fichè ste inpåst int una rôla ed zîrca tränta par vént, tótta fudrè ed butîr e zóccher. Cuśî in fåuren a 180 grèd par 60-75 minûd.

Cavè la rôla e, quand l'é anc chèlda, spisajè in vatta ala tåurta una bèla raziån ed mandl'amèra. Quand la srà fradda biśåggna tajèrla a mandléńni e só ognónna ai và insfilzè un stecadänt.

128

Rice Cake

Torta di riso

Serves 6 people:
1 litre of milk
100 grams of small grained rice
50 grams of vanilla flavoured sugar
250 grams of sugar
150 grams of minced almonds
150 grams of minced candied citrons
150 grams of finely minced amaretti cookies
6 fresh eggs
butter and sugar for the baking pan
amaretto liqueur

In the Bolognese tradition, this is the obligatory sweet to celebrate the 10th anniversary of a parish. But since that is a festival that only happens every ten years, and since the ingredients are cheaper, nowadays it is made quite often with less tightness than in the past.

Put the rice to boil in the milk for about 15 minutes. Then, with the flame turned off, add both kinds of sugar and mix well until it dissolves.

Seperately, mix the eggs with the almonds, citrons and macaroons. Once the rice has cooled, add the egg and nut mixture, mixing it well. Then, pour into a baking dish 20x30 centimetres, buttered and sprinkled with sugar. Bake in the oven at 180° for 60-75 minutes.

Take it out, and while it's still hot, splash the cake with a liberal amount of liqueur. Once it has cooled, cut into small cubes and stick a toothpick into each one.

Tåurta ed pistinèg

Dôś:
trî étto ed pistinèg antè e lavè
dû étto ed màndel
vént grâm ed zóccher
dû cucèr ed faréńna
trai ôv
quénng' grâm ed livadûr in pållver

Tridè dimónndi in fén el pistinèg insàmm al màndel sänza la góssa. Al dé d incû avän la cumditè dal fruladåur elètric e as pôl adruvèr quall. Finé ed tridèr, mitî incôsa int una taréńna e ażuntèi la faréńna, al zóccher, eli ôv śbató e al livadûr.

Armiśdè pulîd e vudè incôsa int una rôla o in un stanp da dûlz, dåpp avairel ónt ed butîr e infarinè.

Mitî in fåuren a 180 grèd e lasè cûśer par zîrca mèż'åura.

Sta tåurta la vgnèva fâta spass dala mujèr d un pensionè dla ferovî, un zêrt Maśaggna (Mario Masini) ch'l avèva un urtgén int al Ciû drî a Ravån e al sumnèva sänper trôpi pistinèg. Sô fiôl, ch'al s êra stufè ed magnèren acsé spass, l in purtèva fôra d'in cà del bèli fatt ch'a magnèven pò nuèter sû amîg.

130

Carrot Cake

Torta di carote

Ingredients:
300 grams of cleaned and washed carrots
200 grams of almonds
20 grams of sugar
2 spoonfuls of flour
3 eggs
15 grams of powdered yeast

Grate the carrots finely with the shelled almonds. Today we have the comfort of electric blenders, and you can certainly use one. Once they are minced together, put it all in a bowl and add the flour, sugar, a beaten egg and the yeast.

Mix it together well and pour it all into a buttered and floured baking dish or cake pan.

Put in the oven at 180° C and leave to cook for about half an hour.

This cake was often made by the wife of a railway pensioner, a certain Maśaggna (Mario Masini). He owned a small vegetable garden on via del Chiù along Ravone Creek, and he always planted too many carrots. Her son, tired of eating this cake so often, brought big slices to us (his friends) from home.

Tåurta ed mlarànz

Dôṡ:
un chíllo ed mlaranz da sûg
trî étto ed faréṅna
utanta grâm ed zóccher
un dôṡa ed livadûr da dûlz
un scróppel ed sèl

Mitî la faréṅna e al zóccher int una taréṅna, ażuntèi la góssa gratè d una mlaranza e al sèl. Dåpp avair armiṡdè un pôc, bucèi al sûg ed tótti el mlarànz ch'arî scuizè prémma. Andè d lóng a armiṡdèr fén ch'an i saltarà fôra un bèl inpâst unifåurum.

Ala fén strumnèi in vatta la pållver dal livadûr, armiṡdè un èter pôc e arbaltè sta pâsta int una rôla quèdra o tånnda, mo ch'la séppa bän ónta col butîr e infarinè.

E adès... däntr int al fåuren a 180 grèd par trî quèrt d åura.

La sgnèra Clutéllda l'êra una frutarôla col bancàtt int al marchè d Ûgo Bâsi e, quand ai avanzèva del mlarànz, la fèva spass sta tåurta. Lî la stèva ed cà int la Malvaṡî e nuèter ragazû a pasèven spass da cà sô, parché bastèva dmandèr che la s in dèva vluntîra una fatta. Cum l'êra senpâtica la sgnèra Clutéllda!

Orange Cake

Torta di arance

Ingredients:
1 kg of juicy oranges
300 grams of flour
80 grams of sugar
one package baker's yeast
a pinch of salt

Put the flour and the sugar in a bowl, add the zest from one orange and the salt. After mixing for a little while, add the juice from all of the oranges which you juiced ahead of time. Continue to mix until you have a uniform batter.

At the end, sprinkle the yeast on top, mix a little bit more and then pour the batter into a square or round baking dish, which is well greased with butter and sprinkled with flour.

And now… into the oven at 180° C for three quarters of an hour.

Mrs. Clotilde was a fruit vendor with a stand inside the so-called "mercato delle erbe" (herb market) on via Ugo Bassi. When she had oranges leftover from the day, she would often make this cake. She used to live on via Malvasia and us guys passed by her house often because all we had to do was ask and she would gladly give us a piece. How nice was Mrs. Clotilde!

Tåurta ed ciocolèta

Dôṡ:
dû étto ed faréńna ṡdazè
dû cuciarén ed livadûr in pållver da dûlz
dû étto ed zóccher
un étto ed butîr o margaréńna
zénc cucèr ed lât
dåu ôv
mèż étto ed cacào amèr
un étto d û pâsa

Däntr a una taréńna, muntè a spómma al zóccher con al butîr, ażuntèi pian pian al lât, dû tórrel, la faréńna ṡdazè armistiè col livadûr, al cacào pôc ala vôlta e ṡdazàndel anca ló, l'û pâsa lasè un pô a mói int al côgnac par môd ch'la dvänta mulśéńna. Muntè a naiv el dåu cèri d ôv e ażuntèi a ste inpâst, armiṡdànd con maniréńna. Quand ste cunpôst al srà tótt unifåurum, arvarsèl int una rôla ónta e infarinè.

Lasè cûśer int al fåuren a 180 grèd par trî quèrt d åura, cavèla, stè d'asptèr ch'la s arsôra e purtèla in tèvla con in vatta una bèla anvè ed zóccher a vail. Però s'a sintéssi cum l'é bôna anc chèlda, apanna che al fåuren al l'ha ṡbruzè fôra!

Ai ténp dla plómma, mî mèder la fèva sta tåurta quand la riusèva a métter da pèrt un pô ed municâja e la m in dèva una fatta par prèmi s'avèva fât pulîd a scôla. Una vôlta as vadd che mé a pinsé d èser stè dimónndi brèv parché, apanna la mamà l'andé fôra ed cà, a tulé la tåurta dala cardänz e a la magné tótta fén al'ûltma brîśla. Quand lî la turné la n fó brîśa tant cuntänta e mé a m la cavé con socuànt nézz…

Chocolate Cake

Torta di cioccolato

Ingredients:
200 grams of sifted flour
2 teaspoons of baker's yeast
200 grams of sugar
100 grams of butter or margarine
5 spoonfuls of milk
2 eggs
50 grams of bitter cocoa powder
100 grams of raisins
brandy

In a mixing bowl, whip the butter and the sugar together until frothy, then slowly add the milk, the two egg yolks, the sifted flour (mixed with the baking powder) and the sifted cocoa powder. Leave the raisins to soak in the brandy for a while to soften, then add them to the mixture as well. Beat the two egg whites until frothy and delicately mix them into the dough. Once the mixture is uniform, pour into a buttered and floured baking dish.

Leave it to cook in the oven at 180° C for 45 minutes. Take it out, wait for it to cool, and then bring it to the table with a snowfall of powdered sugar on top. However, it is also very good while hot, fresh from the oven!

When money was tight, my mother made this cake when she managed to save a bit, and she would give me a slice as a prize for doing well in school. One time, I must have thought I did very well, because while my mother was out of the house, I took the cake out of the cupboard and ate all of it- down to the last crumb. When she returned, she wasn't very happy with me and I ended up with quite a few bruises...

Sfrâpel

Dôŝ par sî:
mèż chíllo ed faréńna
trî tórrel d ôv frasschi, sänza cèra
mèż étto ed butîr
dû abundànt cucèr ed zóccher
góssa gratè d un mèż limån
mèż bichîr ed cògnac o d angiån
un scróppel ed sèl
zóccher a vail

L é al dåulz dla tradiziån ptrugnèna ed Caranvèl. Quand i mî parént e cgnusént i gèven "el sfrâpel dla Mariôla" i vlèven dîr ch'l'êra inpusébbil magnèren del miåuri. La Mariôla l'êra mî mèder.

Inpastè la faréńna con tótt i ingrediént dla rizèta armistiè insàmm. Se l inpâst al fóss trôp dûr, intindrîl con socuànt cucèr ed lât, però al n ha brîsa da dvintèr trôp tànnder. Lasèl arpuŝèr mèż'urtéńna e tirèl col matarèl in una spójja sutîla.

Con la sprunèla, tajè la spójja in stréssel lèrghi zîrca trai dîda e lónghi zîrca un smass o pió.

Int na padèla, méi s'l'é ed fèr, fè bójjer un bèl trócc ed grâs ed ninén dóvv a friżrî in fûria el sfrâpel fagandi ciapèr un bèl culåur d ôr. Cavèli, asughèli con dla chèrta e spulvrazèli col zóccher a vail.

Sfrappole (o frappe)

Serves 6 people:
500 grams of flour
3 fresh egg yolks, without the whites
50 grams of butter
2 large spoonfuls of sugar
zest from half a lemon
half a glass of brandy or anise-based liqueur
a pinch of salt
powdered sugar (garnish)

This is the typical Bolognese dessert during for Carnival. When my family and friends would use the phrase, "le sfrappole della Maria" (Maria's sfrappole), what they meant was that it was impossible to eat anything better. Maria was my mother.

Mix the flour with all of the ingredients. If the dough stays too thick, you can soften it with a spoonful of milk, but it shouldn't be too soft. Leave it to rest for about half an hour and then roll it out with a rolling pin into a soft, pastry dough thickness.

With a fluted pastry cutter, cut the dough into strips about three finger widths wide and about as long as your palm, or more if you prefer.

In a frying pan, preferably cast-iron, heat up a good hunk of lard over high heat and then fry the sfrappole until they brown. Take them out, let them dry on paper towels and then serve them sprinkled with powdered sugar on top.

Brazadèla bulgnaiśa

Dôś par sî:
sî étto ed farénna
dû étto e utanta grâm ed zóccher
zänt s-santa grâm ed butîr o margarénna
dåu ôv intîri
góssa gratè ed mèż limån
dôśa da dûlz par mèż chíllo, pió un cuciarén
zîrca mèż bichîr ed lât

Mé a fâg claziån tótti el matén con dåu fatt ed sta brazadèla e a pòs tstimugnèr ch'la métt adòs una gran energî.

Inpastè tótt i cunpunént fén ch'an i saltarà fòra una pâsta mulśénna mo brîśa trôp: la n ha brîśa da inpatachères al man. Mudlè dû filunzén opûr una brazadèla tånnda col bûś int al mèż.

Spenlè al d såura con dal lât, spulvrazè ed zóccher normèl o in grèna. Mitî a żèżer int una rôla ónta e infarinè, pò int al fåuren a 180 grèd par zîrca zincuanta minûd.

Al môd miåur par magnèrla, al srêv ed tucèr una fatta int l'Albèna dåulza o int un bån scalfàtt ed Clinto…

Bolognese Donuts

Ciambella bolognese

Serves 6 people:
600 grams of flour
280 grams of sugar
160 grams of butter or margarine
2 eggs
zest from half a lemon
yeast for a 500 g dessert, plus one teaspoon
about half a glass of milk

Every morning for breakfast, I eat two ciambelle, and I can testify to their big energy boost.

Mix all of the ingredients until you have a smooth dough, but not too much; only mix until the dough doesn't stick to your hands. Then, form the dough into large doughnuts with a whole in the middle.

Brush your pastry with milk and then sprinkle granulated sugar on top. On a buttered and floured baking pan, put them in the oven at 180° C for about 50 minutes.

The best way to eat them is to put a piece in a glass of sweet Albana or Clinton wine…

Raviôl

Dô§ par sî:
mèż chíllo ed farénna
dû étto e mèż ed zóccher
un étto e mèż ed butîr o margarénna
lât, s'ai é bi§åggn par l inpâst
trai ôv intîri
góssa gratè ed mèż limån
dô§a da dûlz par mèż chíllo
marmelèta o cramma o "Savåur" (rizèta p. 152)

Quasst l é al dåulz ch'al s fà a Bulaggna par la fèsta ed San Iusèv, fén da quand i ranûc' i purtèven la pirócca.

Inpastè i ingrediént insàmm, fagandi dvintèr una pasta unifåurma e piotôst cunsistänta. Lasèla arpu§èr un bèl pzulàtt, e col matarèl fè una spójja grusténna ed zîrca trî-quâter milémmeter.

Adruvànd un bichîr arbaltè cómm s'al fóss un stanp, tajè di déssc ed zîrca quâter dîda ed diâmeter. In ognón ed sti déssc mitî un cuciarén ed marmelèta o ed cramma.

Pighè i déssc a metè, stricànd pulîd l urèl con na furzénna par môd ch'i n s avérren. Spenlè el raviôl con dal tårrel d ôv §bató o con dal lât, spargujèi in vatta dal zóccher, mitîli int una rôla ónta ed butîr e infarinè, e lasè in fåuren a 180 grèd par zîrca mèż'åura.

Anc quassti, cómm la brazadèla, el s pôlen tucèr int al vén bån…

Raviole

Serves 6 people:
500 grams of flour
250 grams of sugar
150 grams of butter or margarine
milk, as needed for the dough
3 eggs
zest from half a lemon
yeast for a 500g dessert
marmalade, cream or "Sapore" (recipe on p. 153)

This is and has been since the dawn of time the traditional dessert in Bologna for Saint Joseph's feast day (March 19th).

Mix all the ingredients together into a uniform and consistent dough. Let it rest for a little and then stretch it out with a rolling pin to a width of about 3 or 4 centimetres.

Using a water glass like a cookie cutter, cut the dough into little discs. On top of each one, put a spoonful of cream or marmalade.

Fold the discs in half, pressing the edges together with a fork to make sure they stay closed. Brush the raviole with either beaten egg yolks or with milk, and then sprinkle with sugar. Put them in the oven on a buttered and floured baking dish and leave them for half an hour at 180° C.

Just like ciambella, you can dunk these in good wine, if you want...

Panspzièl

Dôṡ:
un chíllo e setzänt ed mêl
un chíllo e tarṡänt ed faréṅna
sèt étto ed frûta candé tridè
frûta candé intîra secånnd i gósst
un chíllo ed màndel
mèż chíllo ed pgnû
un bichîr ed vén bianc
un étto ed ciocolèta in pållver (cacào)
mèż étto asurté ed dróg tridè o gratè (canèla, ciûd ed garôfen, nûṡ muschèta)
zénc grâm d amoníaca in pållver

Pr el màndel ṡbianchiżè da guarnîr:
s-santa grâm ed zóccher
tränta grâm ed zóccher a vail armistiè con
vént grâm ed faréṅna

Quassta l'é la rizèta dal gran pastizîr Nîno Matiózz, che mî mèder l'avèva spuṡè (brîṡa al pastizîr, mo la rizèta).

Mitî a bójjer al mêl insàmm al vén. Quand l ha livè al bói, ṡmurzè, armistiè con tótt chi èter ingrediént e inpastè incôsa lavurànd la pâsta sänza remisiån. Quand la pâsta la srà dvintè cunpâta e mulṡéṅna, fè del brazadèl èlti dåu dîda con un bûṡ int al mèż par môd ch'el s cûṡen pulîd. Cruvîli par d såura con i pîz intîr ed frûta candé e el màndel ṡbianchiżè. Cuṡî int al fåuren a 180 grèd par zîrca mèż'åura.

Par fèr el màndel ṡbianchiżè:
Tustè un pôc el màndel int un fåuren, cavèli e mitîli såura un pian d azâr o ed mèrum. Cuṡî un pôc al zóccher sänza ch'al s caramèla, quand l é anc bujànt arvarsèn un quèrt såura al màndel armiṡdànd pulîd. Prémma, arî armistiè al zóccher a vail con la faréṅna: mitî pò int el màndel anc un quèrt ed sta miṡèla. L'operaziån l'é da ripêter alternànd, fén che la rôba la n é finé. Lasè asughèr el màndel, ch'el sran dvintè bèli bianchi e eli andràn méssi tótti in vatta ai panspzièl. Se ste lavurîr al fóss da trôp inpàggn... zêrt pastizîr i vànnden el màndel bèle ṡbianchiżè.

Panspeziale o Certosino

Ingredients:
1700 grams of honey
1300 grams of flour
700 grams of minced candied fruit; 1 kg of almonds; 500 grams of pine nuts; whole candied fruit pieces, to garnish
1 glass of white wine
100 grams of cocoa
50 grams of mixed whole spices, minced and then grinded (cinnamon, cloves, nutmeg)
5 grams of powdered baker's ammonia (or the same of baking powder)
   for the toasted almond garnish:
60 grams of sugar
30 grams of powdered sugar and 20 grams of flour (mixed)

This is the recipe from the master pastry chef Nino Matteuzzi, that my mother fell in love with (the recipe that is, not the pastry chef).

Bring the honey and the wine to a boil. Right as it begins to boil, turn off the heat, mix in all of the ingredients and work the dough vigorously. When it becomes hard and dry, make donuts with a hole in the middle that are about 2 finger widths tall. Cover them with the whole candied fruit pieces and the toasted almonds. Put them in the oven at 180° C for half an hour.

To make the toasted almonds:
Lightly toast the almonds in the oven and then put them on a level surface. Cook the sugar on the stove without letting it caramelize. When it is still very hot, mix in ¼ of the almonds. Your flour and powdered sugar should already be mixed; add in ¼ of the mixture to the sugar and almonds, mixing well. Repeat this process, always alternating between almonds and the powdered sugar-flour mixture. The almonds must become white and dry; they have a very delicate job to play. If this recipe sounds like too much work... some Italian bakeries sell "mandorle grillè" (toasted almonds) already ready.

Sabadón

Dôś par sî:
mèż chíllo ed farénna
dôśa par dûlz da mèż chíllo
un ôv śbató
un étto ed zóccher
mèż étto ed butîr o margarénna
una praiśa ed sèl
lât pr un inpâst ne dûr ne tànnder
alchèrmes o sâba s'la s acâta
grâs ed ninén

Pr al pén:
"Savåur" armistiè con ciocolèta, metè e metè (rizèta p. 152)

Dîr "sabadån" a ón, l é vlairi dèr dal mamalócc inbalzè. Anc quasst l é un dåulz dla tradiziån bulgnaiśa ed Caranvèl, ch'al vén fât ormâi da chi an é brîśa żåuven dal tótt. Mo ai vrêv la sâba, ch'la n s fà pió parché ai é sparé l'uśanza ed métter al vén.

Inpastè tótt i ingrediént e lasè arpuśèr al pastån par trai åur.

Tirèl in una spójja ed zîrca mèż dîd, tajè con la sprunèla del laśagnàtt ed zîrca dåu dîda par trai. Rinpî el laśagnàtt con un cucèr ed pén e asrè i quâter lè.

Friżî i sabadón int al grâs ed ninén, cavèi e spisajèi in vatta al licuåur o la sâba.

Sabadoni

Serves 6 people:
500 grams of flour
yeast for a 500g dessert
one beaten egg
100 grams of sugar
50 grams of butter or margarine
a pinch of salt
milk as needed for a medium thickness dough
alchèrmes liqueur or saba, if it is available
lard

For the garnish
Chocolate mixed with "Sapore" (recipe p. 153), half of each

If you say "sabadone" to someone, you are calling them a dummy. This is also a typical Bolognese dessert from Carnival, nowadays only made by a group of elderly people. It needs to be made with saba (a local syrup from grapes), which is nearly impossible to find since saba is disappearing from the local wineries.

Mix the ingredients and leave the dough to sit for 3 hours.

Roll it out to about half a finger width thick, then cut it with a fluted pastry cutter into rectangles about two by three finger widths big. Garnish them with a spoonful of the topping and fold the four sides together.

Fry the sabadoni in the lard, take them out and wet them with a bit of the liqueur or saba.

Pénza

Dôŝ par sî:
mèż chíllo ed faréńna
dû étto e mèż ed zóccher
un étto e mèż ed butîr o margaréńna
lât, s'ai n vôl par l inpâst
trai ôv intîri
góssa gratè ed mèż limån
dôŝa da dûlz par mèż chíllo
marmelèta o "Savåur" (rizèta p. 152)

Mî pèder al cuntèva che dal 1925, par dscuméssa, un fachén ch'i al ciamèven Spulvrâz, al magné darsèt pénz es al bvé trî fiâsc ed vén sänza fèr na pîga.

Inpastè tótt i ingrediént, adruvànd al lât s'ai n é biŝåggn, fén ch'i n dvänten una pâsta piotôst cunsistänta. Lasèla arpuŝèr e col matarèl fè una spójja grustéńna ed zîrca un dîd. Tajè di pîz retangolèr ed zîrca vént par tränta zentémmeter ed lè, rinpîi int al mèż con la marmelèta lasànd vûda una curnîŝ ed dû zentémmeter.

Arudlinè i retàngol ed pâsta con la marmelèta, asrànd pulîd i cô. Spenlèi in vatta con dal tårrel d ôv ŝbató o con dal lât, inspulvrazèi ed zóccher e mitîi int una rôla ónta ed butîr e infarinè.

Lasè in fåuren a 180 grèd par zîrca zincuanta minûd.

Pinza

Serves 6 people:
500 grams of flour
250 grams of sugar
150 grams of butter or margarine
milk, as necessary for a good consistency
3 eggs
zest from half a lemon
yeast for a 500g dessert
marmalade or "Sapore"(recipe p. 153)

My father used to tell a story about a man who made a bet in 1925, a worker with the last name Spulvrâz. This man ate seventeen pinze and drank three bottles of wine without batting an eyelash.

Mix the ingredients, using milk as necessary until you have a consistent dough. Leave it to rest for a while and then roll it out into a dough about one finger width thick. Cut it into rectangular pieces about 20x30 centimetres, then cover them in marmalade, leaving about two centimetres of space all the way around.

Roll up the pastries, making sure to close the ends well. Brush the outside with beaten egg yolk or with milk, sprinkle with sugar, and place them on a buttered and floured baking pan.

Leave them in the oven at 180° C for about 50 minutes.

Dåulz ed marón

Dôṡ:
mèz chíllo ed bî marón
un étto e mèż ed zóccher a vail
un étto ed ciocolèta amèra
pâna muntè
angiån o sanbûca

Avî da bójjer i marón cómm s'i fóssen da fèr alàss. Quand i én bî e cût, cavèi la góssa fén ch'i én chèld e pasèi prezîṡ a quand as fà al purè.

Gratè la ciocolèta o tridèla fagànd in manîra ch'la dvänta fénna, pò mitî incôsa insàmm col zóccher armiṡdànd pulîd fén ch'an dvänta un bèl pastån.

Tulî un piât tånnd e grandôt. Mitîi int al sô zänter un bichîr arbaltè (col cûl al insó). Mitî a żèżer al pastån tótt d atåuren, lasànd vûda la pèrt in zänter dóvv ai é al bichîr. Quand al pastån l é bèle cunpôst pulîd, cavè vî al bichîr in môd ch'ai avanza un bûṡ int al mèż.

Cal bûṡ l andrà rinpé ed pâna muntè ch'la s pôl pò métter anc in vatta al pastån, secånnd i gósst. Prémma ed métter la pâna, sänper secånnd i gósst, as pôl dèri una spisajadénna con l angiån o la sanbûca. Lasè arsurèr e… stè in uraccia parché a magnèren dimónndi as pôl livèr un gran vintarâz. Però l é un vänt spezièl che, a difaränza di èter, al vôl la fnèstra avêrta e brîṡa asrè.

Chestnut Pie

Dolce di marroni

Makes one dessert:
500 grams of large chestnuts
150 grams of powdered sugar
100 grams of dark chocolate
whipped cream
anise liqueur or sambuca

Boil the chestnuts. Once they are cooked, peel them while they are still hot and then mash them like mashed potatoes.

Grate or finely mince the chocolate, then add to the chestnuts along with the sugar and mix until you have a uniform mixture.

Take a large round plate and place an upside-down glass in the middle. Pour the mixture onto the plate, spreading it well but leaving empty the space covered by the glass. When the mixture has solidified a bit, remove the glass so that the hole in the centre remains empty.

That hole is where you are going to put the whipped cream. Before doing so, you can wet the cake with a little liqueur, to taste of course. Then with the whipped cream in the centre, let it chill and… be careful, because if you eat too much, a big wind may rise up. But, it will be a special wind, different from a normal one, the kind where you will want to leave the windows open, not closed.

Castagnâz

Dôŝ par sî:
mèż chíllo ed faréńna ed castâgn
âcua
mèż étto ed zóccher
un scróppel ed bicarbunèt
û pâsa, pôca o dimónndi secånnd i gósst
grâs ed ninén

I castagnâz, insàmm al mistuchéńni, i êren ón di magnén pió deŝiderè da quî dla mî etè quand i êren di cínno. Pò cavères sti vujén l êra fâzil parché i êren da pôca spaiŝa. L arciâm del mistuchinèri ai cantón del strè, l êra "Sî al bajôc, el mistuchéńni! Sèt chel råtti!". Ogni tänp l ha i mrindén ch'al s mèrita.

Prémma d ónna avî da ŝdazèr pulîd la faréńna, par môd ch'la n s abalôca.

Int una taréńna, mitî la faréńna col zóccher e un scróppel ed bicarbunèt e fè un inpâst con l'âcua, armiŝdànd pulîd fén ch'an i srà saltè fôra una bèla cramma quèŝi léccuida. Ażuntè l'û pâsa e armiŝdè anc un pôc.

Mitî só al fûg una padèla con dal grâs ed ninén e, quand al srà dsfât e bujänt, mitî a fréżżer sta cramma vudànd un cucèr ala vôlta.

Quand el scuciarè ed cramma el sran dvintè fritèl scûri, cavèli e mitîli só una chèrta sugaréńna pr asurbîr l ónt. Spulvrazè ed zóccher normèl o a vail.

Castagnacci

Serves 6 people:
Serves 6 people:
500 grams of chestnut flour
water
50 grams of sugar
a pinch of baking soda
raisins, to taste
lard

Castagnacci, along with mistocchine, were one of the delicacies most craved by kids from my generation. It was a pretty easy desire to satisfy, because they cost very little. The "mistocchine man" yelled from the street corner, "Six for a coin, mistocchine! Seven with the broken one!" Every age has its snack worth its salt.

Above all, you have to sift the flour to avoid lumps.

In a bowl, put the sifted flour with the sugar, a pinch of baking soda and water. Mix until you have a creamy, almost liquid mixture. Throw in the raisins and mix a bit more.

Put a pan on the stove with plenty of lard. Once it is liquified and hot, fry the cream in the pan a spoonful at a time.

When the fried pieces get a dark colour and are nearly cooked, take them out and leave them on paper towels to absorb the drippings. Sprinkle granulated or powdered sugar on top and serve.

Savåur bulgnaiś

Dôś:

dû têrz ed tótta la frûta dl autón (mail, pair, próggn, fîg, mugnèg, pêśg, etz.)
un têrz ed mail dåggni
måsst d û pr un têrz dal totèl ed frûta e dåggna
góssa ed socuanti mlarànz
zóccher par zîrca un dêzum dal paiś totèl

L'é la marmelèta ch'la s adrôva a Bulaggna pr el grustè, el raviôl, el pénz e i dûlz dal gèner. Mo l'é bôna anc in vatta a una fatta ed pan. Cómm ai suzêd par tanti rizèt, ògni famajja l'ha la sô ch'la pôl avair quèlca difaränza cunfrånt a quassta.

Antè pulîd la frûta dala góssa grôsa e dai ruśgón e tajèla a pzulén. Mitîla int una caldarénna o int un pgnatån col zóccher, fagandla cûśer adèśi par zîrca ôt åur. Arcurdèv ed stiumèr e armiśdèr spass, sinchenå pôl capitèr ch'ai véggna un tacån int al cûl dla caldarénna e ch'ai sèlta fôra una ghignåuśa pózza ed strinè.

Bucèla sóbbit, ancåura bujänta, int i vèś ch'i s asèren pulîd. Prilè i vèś col cûl in èlt e lasèi in sta puśiziån fén ch'i n s én arsurè dal tótt.

152

Bolognese Marmalade

Marmellata "Sapore" (Mostarda bolognese)

Ingredients:
⅓ autumnal fruits (apples, pears, prunes, figs, apricots, peaches…)
⅓ quince fruit
⅓ grapes
orange zest
sugar equal to about one-tenth the total weight of the fruit

This is the marmalade that you use in Bologna for crostate, raviole, pinze and other similar desserts. But it is also a great spread on bread. Like for many recipes, every family has their own way which makes it come out a little bit different.

Clean the fruit well from their skins and cores and then cut them into pieces. Put them in a large pot with the sugar and let them cook on low for about 8 hours. While they cook, remember to skim off the top and mix the fruit often. Otherwise, they will stick to the bottom and the whole batch will give off an unpleasant burnt taste.

While it is still boiling, put the marmalade in airtight jars. Turn the jars upside down and let them chill in this position.

Żabajån

Dôṡ par quâter:
trî tórrel fréssc
un étto ed zóccher
zîrca mèż étto ed marsâla sacc
la góssa ed mèż limån sänza al bianc
ciocolèta ṡbriṡlè, s'la pièṡ

Mitî i tórrel (sänza la cèra), al zóccher e al marsâla int un tegâm
piotôst èlt e brîṡa lèrg. Armiṡdè adèṡi fén che al zóccher al srà dsfât.
Apugè al tegâm in vatta al furnèl con la fiâma bâsa, ażuntèi la góssa
ed limån, pighèl un pôc da una banda e prinzipiè a ṡbâter con la fróṡ-
sta sänza dṡmétter. A vdrî che, pian pian, al żabajån al dvintarà tavvd,
spungåuṡ e un pô muntè. Cavè la góssa dal limån, vudèl int i bichîr e,
s'av pièṡ, a psî fèri piôver in vatta dla ciocolèta ṡbriṡlè.

Quand ai êra ragazlàtt e la mî mamà la m vdèva un pôc ṡbaṡé e
culåur ed pâpa fradda parché avèva cunsumè dimónndi energî, la m
dèva ste żabajån par rinfurzèrum. Però la gèva che par żûven e ragaz-
létt bṡugnèva stèr schèrs con al marsâla, sinchenå i psèven ciapèr una
sémmia. Mé pò, d arpiât, dåpp avair bvó al żabajån andèva int la car-
dänz e a dèva un ciuciôt ala butégglia dal marsâla, acsé andèva in
pèra. S'avéssi da fèr al żabajån par di ragazû, dè mänt ala mî mamà e
quand a vudè al vén stè alżîr con la man! Se invêzi a l fè par di grand,
alåura a psî anc cràsser la dôṡa.

Zabaglione

Serves 4 people:
3 fresh egg yolks
100 grams of sugar
50 grams of dry marsala wine
half a lemon peel without the pith
powdered chocolate, if you like

Put the yolks, the sugar and the marsala wine in a tall pan. Mix them gently until the sugar dissolves. Place the pan over a low flame, bend the lemon peel to one side and begin beating the mixture with the lemon peel. You will notice, bit by bit, that the zabaglione will become warm, foamy and whipped. Take out the lemon peel, pour the zabaglione into cups, and if you like, garnish with powdered chocolate on top.

When I was a kid and my mother would see me a bit wilted and pallid because I had consumed too much energy, she would give me this zabaglione to bolster me up. But she said that for kids, you had to leave out the marsala, otherwise they could get drunk. So, after I had zabaglione, I would secretly go to the cabinet and take a swig of the marsala, that way I would even the score. If you are making zabaglione for kids, pay attention to my mother's advice and pour the marsala with a light hand! Instead, if it's for adults, then you can adjust the amount.

Żaltén ed cà mî

Dôṡ:
mèż étto ed faréṅna ed furmänt
130 grâm ed faréṅna ed furmintån
un étto ed zóccher
stanta grâm ed màndel plè e tridè
stanta grâm ed butîr
dû tórrel
góssa gratè ed mèż limån
û pâsa secånnd i gôsst e s'la pièṡ

Sta rizèta la vén da mî nôna Argía Zûrla che par sti żaltén la gèva urgugliåuṡa: "Ògni famajja la fà i żaltén a sô môd, mo al famåuṡ Zûrla dal Papagâl al m ha détt che bón cme i mî an n ha mâi sintó".

Armistiè pulîd in vatta al tulîr tótt i ingrediént fén a furmèr una bèla pâsta. Tirè col matarèl una spójja grôsa zîrca mèż dîd. Tulî un bichîr tånnd (grand secånnd al vôster gósst) e, con la sô båcca, tajè dala spójja di tundén ch'a mitrî int una rôla bâsa ónta ed butîr. Insfilzè int al fåuren piotôst chèld, lasè cûṡer par zîrca quénng' minûd, cavèi e inspulvrazèi ed zóccher a vail.

Yellow Cookies

Biscotti gialli di casa mia

Ingredients:
50 grams of wheat flour
130 grams of corn meal
100 grams of sugar
70 grams of peeled and minced almonds
70 grams of butter
2 eggs
zest from half a lemon
raisins to taste

This recipe comes from my Grandma Argia Zurla, who would say about these cookies, "Every family makes gialletti in their own way, but the famous Zurla del Pappagallo (*not related to, but of the same name and chef of the celebrated restaurant*) told me he had never had any as good as mine."

Mix well on a pastry board all of the ingredients until you have a nice dough. Roll them out with a rolling pin to a width of about half a finger. Take a round glass (of whatever size you prefer) and, using the opening, cut the dough into discs and place them on a buttered and floured pan. Put them in a pre-heated oven, and leave them to cook for fifteen minutes. Take them out and then sprinkle them with powdered sugar.

Licuåur ed zidréńna

Dôś:
un lîter d èlcol pûr
sî étto e mèz d âcua ed piôva
sèt étto ed zóccher
la góssa d un limån sänza al bianc
zänt fói ed zidréńna apanna dspichè

In cà di mî l êra al cicàtt da båvver dåpp al dśnèr ed Nadèl e Chèp d ân. Dåpp bvó la zidréńna, la nôna la fèva i ganasén róss e la ridèva, la ridèva… a l'ho ancåura int l udîd.

I ingrediént i én da bucèr tótt insàmm dänter a un vèś ch'al s pôsa asrèr ermeticamänt.

Biśåggna lasèr incôsa in fuśiån par dåu stmèn, armiśdànd spass e scuduzànd pulîd al vèś.

Pasè el dåu stmèn, al léccuid l é da filtrèr con dla chèrta da filter o un burazén ed taila féssa. Quall ch'ai sèlta fôra, l é da métter dänter a del butélli instupajè, méssi int un sît al bûr, e as pôl tachèr a båvver di cichétt brîśa prémma ed zîrca dû mîś.

L'é l ideèl par śmunîr al cagiaràtt quand as é magnè da lûv, mo bvànden trôp la sémmia l'é zêrta.

Lemon Verbena Liqueur

Liquore di cedrina

Ingredients:
1 litre of grain alcohol
650 grams of distilled water
700 grams of sugar
lemon peel without the pith
100 leaves of lemon verbena, freshly picked

In my family, this was the drink to have after Christmas and New Year's lunch. After drinking cedrina, Grandma would have red cheeks and she would laugh and laugh... I can still hear her laughing.

All the ingredients listed should be put in a bottle together, closed air tight.

It needs to be left to infuse for two weeks, being shaken and mixed often.

After two weeks, the liquid should be filtered through an appropriate paper filter or a canvas cloth with a thick weave. The filtered liqueur can then be bottled, well sealed, and conserved away from sunlight. You can begin to drink it after it has sat for at least two months.

It is a great natural digestif, but if you drink too much, it will surely get you drunk.

This book was written in 2015

Printed in Great Britain
by Amazon